Paul Maar, 1937 in Schweinfurt geboren. Einer der bedeutendsten Kinder- und Jugendschriftsteller deutscher Sprache. Autor zahlreicher Kinder- und Jugendbücher, Funkerzählungen, Kindertheaterstücke und Illustrator. Zu seinen beliebtesten und meistgelesenen Werken gehören die Geschichten vom Sams, einem hintergründig-frechen Fabelwesen, vom Träumer Lippel und vom kleinen Känguru. Paul Maar wurde mit vielen namhaften Preisen ausgezeichnet, u.a. mit dem Deutschen Jugendliteraturpreis, dem Österreichischen Staatspreis, dem Brüder-Grimm-Preis, dem Großen Preis der Deutschen Akademie für Kinder- und Jugendliteratur und dem Sonderpreis des Deutschen Jugendliteraturpreises für sein Gesamtwerk.

PAUL MAAR

EIN SAMS FÜR MARTIN TASCHENBIER

VERLAG
FRIEDRICH OETINGER
HAMBURG

Alle Sams-Bände auf einen Blick:

Eine Woche voller Samstage
Am Samstag kam das Sams zurück
Neue Punkte für das Sams
Ein Sams für Martin Taschenbier

Die Bücher vom Sams sind auch als Hörkassetten bei Deutsche Grammophon erschienen, der Band »Eine Woche voller Samstage« außerdem als CD-ROM.

Einband und Illustrationen vom Autor
Satz: Utesch GmbH, Hamburg
Druck und Bindung: Graphischer Großbetrieb Pößneck GmbH
Printed in Germany 1999*

ISBN 3-7891-4210-7

Inhalt

1. KAPITEL

Eine Entdeckung auf dem Dachboden

Bei Raufereien war Martin Taschenbier bestimmt nicht der Stärkste in der Klasse, er gehörte eher zu den etwas Schwächeren. Genau genommen war er der Zweitschwächste. Nach ihm kam nur noch Basilius Mönkeberg, der schon in die Knie ging, wenn man ihn scharf anguckte.

Martin gehörte auch nicht gerade zu den Größten der Klasse. Bei Herrn Knortz, ihrem Sportlehrer, mussten sich die Schüler zu Beginn der Turnstunde immer in einer Reihe aufstellen, nach Größe geordnet. Da stand Martin meist an viertletzter Stelle. Wenn Roland Steffenhagen fehlte, stand er sogar an drittletzter. Roland Steffenhagen war der Zweitkleinste und er fehlte oft. Er hatte nämlich eine Mutter, die leidenschaftlich gern Entschuldigungen schrieb.

Wenn Roland keine Lust hatte beim Sportunterricht mitzumachen (und er hatte selten Lust), brauchte er morgens beim Frühstück nur zweimal zu husten und mit leicht heiserer

Stimme zu flüstern: »Mama, ich glaube, ich bin ein bisschen erkältet.«
»Schon wieder? Ach, du Armer. Da darfst du heute aber auf keinen Fall mitturnen. Das strengt dich zu sehr an. Ich schreib dir gleich eine Entschuldigung«, sagte dann seine Mutter, setzte sich an den Computer und schrieb eine.
Sie hatte eine Extradatei namens »ENTSCHLD« angelegt, die sie nur auszudrucken und zu unterschreiben brauchte. Darin stand:
»Mein Sohn Roland Steffenhagen kann heute wegen leider den Sportunterricht nicht besuchen. Ich bitte sein Fernbleiben zu entschuldigen. Mit freundlichen Grüßen«
Nach dem Wort »wegen« fügte sie bei jeder neuen Entschuldigung eine andere Begründung ein, zum Beispiel »Halsweh«, »Halsschmerzen«, »Halsentzündung«, »Rachenrötung« oder »Schluckbeschwerden«.
Die anderen aus der Klasse beneideten Roland um seine Mutter. Er war auch ziemlich stolz auf sie. Gar nicht so sehr, weil sie ihn immer bei Herrn Knortz entschuldigte, sondern weil sie sich bei den angegebenen Krankheiten noch nie wiederholt hatte. Und das nach immerhin achtzehn Entschuldigungen im letzten Schuljahr. Jetzt, kurz nach den großen Ferien, hatte sie es schon wieder auf vier neue gebracht: »Hustenreiz«, »Bronchitis«, »Reizhusten« und »chronische Heiserkeit«.
Für Martin Taschenbier bedeutete das, dass er im neuen Schuljahr schon viermal an drittletzter Stelle der Reihe gestanden hatte, obwohl er doch eigentlich nur der Viertkleinste war.
Betrachtete man seine schulischen Leistungen, lag Martin

im Mittelfeld der Klasse. In Deutsch sogar noch etwas weiter vorn; einmal hatte er tatsächlich eine Eins im Aufsatz geschrieben. Doch das blieb eine Ausnahme.

Es gab aber etwas, worin Martin unangefochten den ersten Platz in der Klasse einnahm: Er war mit großem Abstand der Schüchternste.

Er beklagte sich sogar zu Hause bei seinem Vater darüber.

»Was soll ich nur machen, Papa?«, sagte er. »Ich trau mich immer nicht ...«

»Was meinst du damit?«, fragte sein Vater. »Was genau traust du dich nicht?«

»Alles. Oder besser gesagt: nichts. Einfach gar nichts«, sagte Martin.

»Aber das stimmt doch nicht«, sagte sein Vater. »Neulich im Freibad bist du vom Einmeterbrett gesprungen. Kopfsprung! Das hätte ich mit zehn Jahren nie geschafft. Da wäre ich viel zu ängstlich gewesen.«

»Jens Uhlmann springt sogar vom Dreimeterbrett. Und der ist auch erst zehn!«

»Vom Dreimeterbrett?« Martins Vater wiegte bewundernd den Kopf. »Alle Achtung. Das habe ich nur ein einziges Mal geschafft. Und da war ich schon erwachsen. Außerdem hat man mich mehr oder weniger dazu gezwungen.«

»Wer hat dich denn gezwungen?«, fragte Martin.

Sein Vater wurde ein bisschen verlegen. »Ein Wunsch, sozusagen«, sagte er. »Ich weiß nicht, wie ich das erklären soll ...«

»Ein Wunsch?«, fragte Martin. »Das nützt bei mir rein gar nichts. Wie oft habe ich mir schon gewünscht, dass ich so mutig bin wie Jens. Ich hab mich trotzdem nicht getraut.«

»Du bist eben nicht Jens Uhlmann, sondern Martin Taschenbier«, sagte sein Vater. »Jeder Mensch ist anders. Damit musst du dich abfinden.«
Da sich Martin aber mit diesen Lebensweisheiten seines Vaters nicht abfinden wollte, ging er zu seiner Mutter und sprach mit ihr über sein Problem.
»Ich will ja gar nicht so sein wie Jens Uhlmann«, sagte er. »Nur so wie die anderen aus meiner Klasse. Nimm zum Beispiel Roland Steffenhagen. Der ist der Zweitkleinste und traut sich viel mehr als ich. Der spricht sogar Mädchen aus der Parallelklasse an. Einfach so.«
»Würdest du denn auch gerne die Mädchen aus der Parallelklasse ansprechen?«, fragte seine Mutter.

»Alle nicht. Aber eine schon«, sagte Martin.
»Und wer ist diese eine? Kenn ich die?«, fragte seine Mutter.
»Wie sollst du sie denn kennen, wenn ich selber nicht mal weiß, wie sie heißt«, sagte Martin. »Ich weiß nur, dass sie braune Haare hat, die sie immer hinten mit einem roten Band zusammenbindet, dass sie in der Schubertstraße zwölf wohnt und dass sie einen Hund hat.«
Seine Mutter guckte ihn verblüfft an. »Woher weißt du, wo sie wohnt, wenn du noch nie mit ihr geredet hast?«
»Weil ich nach der Schule mal hinter ihr hergegangen bin«, sagte Martin. »Aber das ist doch jetzt überhaupt nicht wichtig.«
Seine Mutter ließ sich nicht beirren. »Und woher weißt du,

dass sie einen Hund hat?«, fragte sie. »Hast du sie mal mit einem gesehen?«
»Nein. Am Gartentor war ein Schild. ›Warnung vor dem Hunde‹ oder so ähnlich. So eines, bei dem man sich erst gar nicht durchs Tor traut. Bei dem *ich* mich jedenfalls nie trauen würde. Jens Uhlmann würde wahrscheinlich einfach reingehen und den Hund anknurren.« Damit war Martin wieder bei seinem Hauptthema angelangt.
»Was kann ich nur dagegen tun?«, fragte er.
»Meinst du gegen den Hund oder dagegen, dass du ein bisschen vorsichtiger bist als andere?«, fragte seine Mutter.
»Du weißt genau, was ich meine«, sagte Martin. »Ich möchte mutiger sein und nicht so ängstlich und so schüchtern.«
»So was geht leider nicht von heute auf morgen. Das kommt ganz allmählich, du wirst es sehen«, sagte sie und strich Martin übers Haar. »Ich fände es sogar schade, wenn du plötzlich so ein forscher Angebertyp wärst. Die mag ich nämlich überhaupt nicht. Mir sind die Sanften, Schüchternen wie dein Vater viel lieber.«
»Mir aber nicht!«, sagte Martin.
Er ging in sein Zimmer, ließ sich aufs Bett fallen, starrte zur Decke und wollte gerade damit beginnen in grässlich düstere Gedanken zu versinken, da kam sein Vater herein, setzte sich auf Martins Schreibtisch, grinste und sagte: »Schreckliche Nachrichten für unseren überaus ängstlichen Martin! Bald wird es in unserer Wohnung vor gefährlichen Raubtieren nur so wimmeln: Hasen, Papageien und Hamster, vielleicht sogar wilde weiße Mäuse!«
»Kommen die Mons zu Besuch?«, rief Martin und sprang aus dem Bett.

»Du hast es erraten«, sagte Martins Vater. »Onkel Anton hat vorhin angerufen. Er will uns morgen Nachmittag mit einigen von seinen Tieren besuchen. Und mit seiner Familie natürlich.«
Herr Mon, den Martin »Onkel Anton« nannte, war eigentlich kein richtiger Onkel, er war ein alter Freund von Martins Vater.
Seine Frau, Tante Annemarie, war früher die Vermieterin von Martins Vater gewesen. (Damals hatte sie noch auf den Namen »Rotkohl« gehört.) Die Mons hatten eine Tochter, die Helga hieß und zwei Jahre jünger war als Martin.
»Die Mons kommen?«, fragte Martin. »Kommt Helga auch mit?«
»Natürlich. Oder hast du geglaubt, sie muss zu Hause bleiben und Tiere hüten?«, sagte sein Vater. »Wie ich Anton kenne, bringt er sowieso die meisten mit.«
Martins Mutter schaute ins Zimmer. »Was höre ich da? Die Mons kommen?«, fragte sie. »Bringt Anton wieder so viele von seinen Tieren mit?«
»Ja. Ich habe es Martin gerade erzählt«, sagte Martins Vater. »Hoffentlich lässt er wenigstens die beiden Schneehasen im Stall. Als er das letzte Mal hier war, haben sie meinen Lieblingssessel angeknabbert und die ganze Holzwolle rausgezogen.«
Martins Mutter setzte sich neben Martin aufs Bett.
»Annemarie wird ihn schon daran hindern, die kann die Hasen auch nicht ausstehen«, sagte sie. »Ich hingegen könnte gut auf diesen uralten Papagei verzichten. Wie heißt er noch?«
»Herr Kules«, antwortete Martin. »Den kann er ruhig mit-

bringen und die Hasen auch. Hauptsache, sie lassen Helga daheim.«
»Na, hör mal, Martin!«, sagte sein Vater. »Wie redest du von Helga. Du hast sie doch immer recht nett gefunden.«

»Ist sie ja auch«, sagte Martin. »Aber sie ist noch so jung. Außerdem isst sie dauernd Marzipanschweinchen. Wo ich doch kein Marzipan mag! Und immer will sie nur Verstecken spielen, nichts als Verstecken.«
»Dann schlag ihr einfach mal ein anderes Spiel vor«, sagte sein Vater.
»Welches denn?«, fragte Martin.
»Schwarzer Peter, zum Beispiel.«
»So ein Kleinkinderspiel? Da spiel ich ja noch lieber Verstecken«, sagte Martin.

Und als die Mons am Sonntag mit drei Hasen, einem Goldhamster, einem Goldfisch, zwei Meerschweinchen und einem zahmen Eichhörnchen zu Besuch kamen, spielte Martin tatsächlich den halben Nachmittag mit Helga in der Wohnung und auf dem Dachboden Verstecken.
Dabei machte er einen seltsamen Fund. Und da sein Vater offensichtlich keine Lust hatte, sich mit ihm darüber zu unterhalten, beschloss Martin, Roland Steffenhagen um Rat zu fragen.
Und sosehr er sich aufs freie Wochenende gefreut hatte: Nun konnte Martin den Wochenanfang kaum erwarten. Bis endlich der Montag kam und er mit Roland alles besprechen konnte.

Roland Steffenhagen und Martin Taschenbier standen nicht nur in der Turnstunde am Ende der Reihe nebeneinander, sie saßen auch in der Klasse an einem Tisch und waren inzwischen gute Freunde geworden.
Anfangs hatten sie nicht viel mehr Gemeinsames gehabt als ihre Bewunderung für Jens Uhlmann und ihre Abneigung gegen Leander Plattner.
Leander Plattner (Spitzname in der Klasse: »Plattfuß«) saß hinter ihnen und ließ keine Gelegenheit aus, die beiden Kleinen vor ihm zu knuffen, zu boxen und an den Haaren zu ziehen, das Mathebuch von Roland im Papierkorb zu verstecken oder Martins Stuhl wegzuziehen, wenn der sich setzen wollte.
Leander Plattner war der Größte der Klasse und stand deshalb in der Turnstunde am Anfang der Reihe. Er war ein plumper Junge mit dickem Kopf, ging immer leicht vorn-

übergebeugt und ließ dabei die langen Arme unbewegt hängen, als würden sie vom Gewicht der dicken Hände nach unten gezogen.
Leander litt unter seinem Aussehen und wenn ihn die anderen »He, Plattfuß!« riefen, quälte er sich mühsam ein Lächeln ab, versuchte ganz lässig zu winken und tat so, als sei

er Bud Spencer, ein schwergewichtiger italienischer Schauspieler, der in seinen Filmrollen auch manchmal »Plattfuß« hieß. Leander boxte dann zum Beispiel ein paarmal in die Luft und schrie: »He, Amigos! Hier kommt Plattfuß! Nehmt euch vor meinem linken Haken in Acht!«
Oder er ballte die Hand zur Faust, winkelte den Arm an und sagte: »Amigos, ihr wollt wohl die Muskeln von Plattfuß sehn? Kommt näher! Für einen Dollar dürft ihr sie mal anfassen.«
Aber man merkte, dass er sich nicht wohl dabei fühlte. Und wenn die Jungen auch noch ihre Witze machten: »Muskeln?

Das ist doch nur Fett. Wo sollen denn da Muskeln sein? Da braucht man ja ein Vergrößerungsglas«, und die Mädchen in der Klasse darüber lachten, konnte es geschehen, dass Leander sich umdrehte und schnell aus dem Klassenzimmer rannte, damit die anderen nicht sahen, dass ihm die Tränen in die Augen stiegen.

Wenn er dann wiederkam, ließ er seine ganze Wut an den Schwächeren in der Klasse aus; ganz egal, ob die »Plattfuß« gerufen und mitgelacht hatten oder nicht.

Nun kann man zwar recht gut verstehen, woher es kommt, wenn einer manchmal so fies und gemein zu Kleineren ist. Deswegen leiden die aber trotzdem darunter und haben eine Sauwut auf ihn.

Martin und Roland konnten Leander Plattner jedenfalls nicht ausstehen.

Leander war auch schuld daran, dass Martin nicht dazu kam, Roland gleich nach der Schule von seinem Fund auf dem Dachboden zu berichten.

Auf dem Heimweg ging er ständig hinter Roland und Martin her, schubste sie, trat Martin auf die Fersen oder versuchte Roland ein Bein zu stellen. Die beiden konnten noch so oft »Lass das endlich!« oder »Hör auf damit!« rufen, er tat es immer wieder.

Schließlich war ihre Wut auf Leander größer als ihr Respekt vor ihm und sie stürzten sich zu zweit auf den Großen. Aber der stieß sie einfach beiseite, rannte über die Straße und rief von dort: »Kommt doch rüber, ihr Zwerge, wenn ihr euch traut. Kommt doch!«

»Pass auf, wenn wir rüberkommen, dann kannst du was erleben!«, schrie Roland.

Leander lachte, boxte ein paarmal in die Luft und rief zurück: »Dann kommt doch, kommt doch her, ich warte schon sehnsüchtig auf euch!«
Roland rief: »Komm *du* doch! Wirst schon sehen, was dir dann passiert!«
Leander blieb stehen. Er legte die Hände wie ein Sprachrohr vor den Mund, drehte sich nach links und rechts und schrie dabei: »Kann mir jemand mal dreißig Pfennige fürs Telefonieren leihen? Ich will schon mal den Krankenwagen für die zwei Kleinen da drüben bestellen. Tatü-tata, tatü-tataaa!«
Das konnten Martin und Roland nicht auf sich sitzen lassen. Sie blieben auch stehen und sangen über die Straße:

> »Wer will platte Plattfüße sehn,
> der muss zu Leander gehn.
> Platsch, platsch, platsch,
> platsch, platsch, platsch,
> der Plattfuß plattert durch den Matsch!«

Damit brachten sie Leander fürchterlich in Wut und er kam

mit einem so zornigen Gesicht über die Straße gestürzt, dass sie es vorzogen, ihrerseits schnell wegzurennen. Im Laufen rief Martin Roland noch zu: »Ich komme heut Nachmittag zu dir, ja?«, und Roland schrie zurück: »Wie immer um drei, ja?« Dann machten sie, dass sie wegkamen, bevor Leander einen von ihnen erwischen konnte.

Pünktlich um drei klingelte Martin bei Steffenhagens an der Haustür. Roland öffnete. Seine Mutter war wie immer nicht zu Hause, sie arbeitete bis fünf im Wasserwirtschaftsamt.
»Komm rein«, sagte Roland. »Ich habe Commander Keen auf eine fliegende Plattform gestellt, als du geklingelt hast. So kann ihn kein Roboter angreifen, während ich dir die Tür aufmache.« Roland war also gerade mitten in einem Computerspiel.
Normalerweise setzte sich Martin neben Roland vor den Computer und spielte mit. Er drückte zwar keine Tasten, das war Rolands Aufgabe, aber er gab gute Ratschläge und fand

für die schwierigsten Probleme eine Lösung. Beide liebten nämlich Computerspiele, bei denen man nicht nur hüpfen, rennen und schießen musste, sondern wo es darauf ankam, zu kombinieren, Zusammenhänge herauszufinden und die richtige Geschichte zu erraten.

So hatte Martin zum Beispiel vorgeschlagen, dass sich Keen von der Eiskanone über die Mauer schießen lassen solle. Eine glänzende Idee, wie sich herausstellte. Denn Keen landete im verborgenen Level und sammelte dort mehr als tausend Punkte ein.

Aber heute hatte Martin keine Lust zu spielen, er wollte lieber reden. Er setzte sich neben Roland und guckte still zu, wie der seine Spielfigur auf gefährlichen Wegen durch den Kristallpalast lotste, vorbei an gefährlichen Hüpfpilzen und rasenden Robotern. Dabei durfte man nicht stören.

Als Roland das Männchen heil zum Ausgang gebracht hatte und den Spielstand speicherte, sagte Martin: »Ich muss dir was erzählen ...«

»Dann tu's doch«, antwortete Roland, den Blick zum Bildschirm gerichtet.

»Gestern hab ich auf unserm Dachboden einen Taucheranzug gefunden, ganz hinten in einem Schrank«, fing Martin an.

»Taucheranzug? Wie bei Commander Keen. Da kriegt man den Taucheranzug auch erst ganz oben, hinten, am Ende von diesem durchsichtigen Palast, erinnerst du dich?«

»Ja, ja«, sagte Martin. »Jetzt lass mich doch mal erzählen. Findest du es nicht auch merkwürdig, dass da oben ein Taucheranzug ist?«

»Wieso?«, fragte Roland. »Wenn Keen den Taucheranzug

nicht hat, kann er nicht auf die Insel schwimmen. Und auf der einen Insel …«
Martin unterbrach ihn. »Jetzt lass doch mal den Keen! Ich spreche vom Taucheranzug oben auf unserm Dachboden.«
»Was soll daran merkwürdig sein?«, fragte Roland. »Der gehört bestimmt deinem Vater. Wenn mein Vater noch da wäre, hätte er vielleicht auch einen Taucheranzug.«
»Er kann aber meinem Vater nicht gehören, er ist nämlich viel zu klein. Er sieht aus wie ein Taucheranzug für Kinder. Er würde mir gerade passen.«
»Vielleicht hat er deinem Vater schon gehört, als der noch ein Kind war«, schlug Roland vor.
»Nein, hat er nicht«, sagte Martin. »Erstens ist Papa als Kind bestimmt nicht getaucht, dazu ist er viel zu unsportlich. Außerdem hab ich ihn danach gefragt.«
»Gefragt? Dann weißt du doch alles. Wo liegt das Problem?«, wollte Roland wissen.
»Nichts weiß ich. Das ist es doch gerade. Deswegen will ich ja mit dir darüber reden«, sagte Martin. »Mein Vater war nämlich ganz merkwürdig, als ich ihm von dem Taucheranzug erzählt habe. Er wollte mir einfach nicht sagen, wem er gehört.«
»Vielleicht weiß er es ja auch nicht«, sagte Roland.
»Doch, er weiß es. Ich habe nämlich zufällig ein Gespräch zwischen meinem Vater und Onkel Anton belauscht. Onkel Anton hat gefragt: ›Warum willst du denn Martin nicht erzählen, wem der Taucheranzug gehört hat?‹, und Papa hat geantwortet: ›Später, wenn Martin ein bisschen älter ist. Ich weiß nicht, wie er es jetzt auffassen würde.‹ Das ist doch merkwürdig, oder?«

»Allerdings. Sehr merkwürdig«, sagte Roland, drückte auf PAUSE und drehte seinen Stuhl zu Martin hin. »Das ist ja so spannend wie ein Computerspiel! Lass uns kombinieren, was kann das bedeuten? Es muss einmal bei euch ein Kind gegeben haben, dem der Anzug gepasst hat. Von diesem Kind will man nicht reden. Warum? Ich glaube, ich hab's: Deine Eltern haben vor dir schon mal ein Kind gehabt.«
»Und wo ist es jetzt?«, fragte Martin.

»Es gibt drei Möglichkeiten und alle sind gleich traurig. Kein Wunder, dass deine Eltern nicht darüber reden wollen. Entweder es ist von zu Hause ausgerissen oder es wurde entführt oder es ist gestorben. Das Ganze hat stattgefunden, bevor du geboren wurdest. Sonst wüsstest du ja davon. Gut kombiniert, stimmt's?«
»Hm«, machte Martin. »Dieses Kind wäre ja dann mein Bruder oder meine Schwester. Und warum haben sie mir das nie gesagt?«

Roland kombinierte weiter. »Wenn es noch am Leben wäre und wiederkommen könnte, hätten sie dir's bestimmt gesagt. Damit du nicht zu sehr überrascht bist, wenn dein Bruder eines Tages vor der Tür steht. Ich fürchte, das Kind ist gestorben. Sie wollen es dir nicht erzählen, weil es so traurig für dich wäre.«

»Traurig?«, sagte Martin. »Ich hab das Kind doch gar nicht gekannt.«

»Dann wollen sie nicht darüber reden, weil es für sie selbst zu traurig ist«, sagte Roland. »Genau das ist es. Meine Mutter will auch nie über meinen Vater reden. Das ist die Lösung.«

»Meinst du?«, fragte Martin.

»Ganz bestimmt«, versicherte Roland. »Außerdem gibt es eine todsichere Möglichkeit, wie wir es herausfinden können.« Er war jetzt ganz in seinem Element. Das Ganze war wirklich wie ein neues, spannendes Computerspiel. »Wir gehen auf den Friedhof und gucken uns die Grabsteine an. Dein Bruder muss ja wie du geheißen haben. Wenn wir einen finden, auf dem ›Taschenbier‹ steht, haben wir die Lösung.«

»Ich weiß nicht ...« Martin zögerte. »Erstens geh ich nicht gern auf den Friedhof ...«

»Wieso?«, fragte Roland. »Bei ›COSMO, Teil 1‹ bist du doch besonders gern in den Level mit dem Friedhof gegangen. Und da war auch noch Nacht und es hat geblitzt und gestürmt!«

»... und zweitens ist der Friedhof ziemlich groß. Das dauert doch ewig, bis wir da alle Inschriften gelesen haben«, sagte Martin.

»Das schaffen wir schon. Du nimmst den linken Level, ich meine, den linken Teil vom Friedhof, ich den rechten. Gehn wir gleich los?«
»Wenn du meinst«, sagte Martin und stand unschlüssig auf.
Roland stellte den Computer ab. »Ich geh nur mal schnell in die Küche und hol uns was zu trinken«, sagte er. »Dann ziehn wir los.«
Als er zurückkam, hatte Martin den Computer wieder angestellt. Auf dem Bildschirm marschierten die Lemminge in einer langen Reihe hinter ihrem Anführer her.
»Was ist?«, fragte Roland. »Soll ich alleine gehn oder was?«
»Wir müssen gar nicht weg. Ich hab nämlich in der Zwischenzeit auch kombiniert«, sagte Martin und ließ die Lemminge durch ein Loch im Boden in den nächsten Level wuseln. »Ich kann gar keinen Bruder gehabt haben.«
»Warum nicht?«, fragte Roland und setzte sich auf den Stuhl, auf dem vorher Martin gesessen hatte.
Martin drückte die PAUSE-Taste. »Rechne mal mit: Ich bin jetzt zehn und der Taucheranzug ist gerade so groß, dass er mir passen würde. Also müsste mein Bruder damals auch zehn gewesen sein, als er ihn getragen hat. Er wäre also jetzt mindestens zwanzig Jahre alt. Und das kann einfach nicht sein.«
»Warum nicht?«, fragte Roland. »So was gibt's. Meine Mutter hatte auch mal einen zwanzigjährigen Bruder. Das ist allerdings schon zehn Jahre her. Jetzt ist er dreißig.«
»Verstehst du's nicht: Wie kann denn meine Mutter einen zwanzigjährigen Sohn haben, wo sie doch gerade ein paar Jahre älter als dreißig ist!«, sagte Martin. »Außerdem hat

mein Vater meine Mutter erst vor zwölf Jahren kennen gelernt. In einem Fahrstuhl. Hat er mir selbst erzählt. Die Geschichte mit dem Bruder können wir streichen.«

»Stimmt«, sagte Roland. »Im Rechnen bist du besser als ich. Aber wem gehört dann der Taucheranzug?«

»Ich hab nicht die kleinste Idee«, sagte Martin. »Vielleicht erfahren wir es nie.«

»Nein, das stimmt nicht«, sagte Roland, der damit bewies, dass er gut zuhören konnte, auch wenn er dabei auf den Bildschirm guckte. »Dein Vater hat doch zu deinem Onkel gesagt: ›Später, wenn Martin ein bisschen älter ist.‹ Du musst also nur ein paar Jährchen warten, dann erzählt er's dir.«

Aber so lange musste Martin gar nicht warten. Es dauerte ungefähr drei Monate, genauer gesagt: bis zur Woche nach den Weihnachtsferien, dann wusste er, wem der Taucheranzug gehörte.

2. KAPITEL

Große Pläne, große Befürchtungen

Anfang November meldeten sich Herr Knortz und seine Frau in der Volkshochschule zum »Tanzkurs für Fortgeschrittene« an. Am zweiten Abend stürzte Herr Knortz beim Tango über die Beine seiner Frau und brach sich den Mittelfußknochen. Er bekam ein Gipsbein und Martins Klasse einen neuen Sportlehrer, Herrn Daume.
Martins Mitschüler fanden Herrn Daume toll.

Und als Herr Daume auch noch bekannt gab, dass er vorhatte in der Woche nach den Weihnachtsferien mit der Klasse eine Woche ins Schullandheim in die Rhön zu fahren, waren alle völlig aus dem Häuschen.
Martin war sich nicht ganz so sicher, was er von seinem neuen Sportlehrer halten sollte.
»Einerseits finde ich Herrn Daume ja gut«, sagte er zu Roland Steffenhagen auf dem Heimweg von der Schule. »Dass wir uns zum Beispiel nicht mehr der Größe nach aufstellen müssen …«
»Und andrerseits?«, fragte Roland.
»Andrerseits machen wir nur noch Wettkämpfe, immer nur

Wettkämpfe«, sagte Martin. »Dauernd lässt er uns Gruppen bilden und immer geht es darum, wer die Sieger und wer die Verlierer sind.«
»Ist es so schlimm, wenn du mal bei der Gruppe bist, die verliert?«, fragte Roland.
»Was heißt *mal*. Da bin ich *immer*«, sagte Martin. »Keiner will mich mehr haben, weil es sich schon herumgesprochen hat. ›Die beste Garantie für eine Niederlage: Wählt Martin Taschenbier in eure Gruppe!‹ Hast du's nicht gemerkt?«
»Das bildest du dir nur ein«, sagte Roland. »Du übertreibst mal wieder gewaltig.«
Sie gingen eine Weile schweigend nebeneinanderher. Leander Plattner musste heute nachsitzen, weil er schon zum dritten Mal seine Hausaufgaben nicht gemacht hatte. Deswegen konnten sie sich unterhalten, ohne dass sie dabei in den Rücken geknufft, von hinten getreten oder an den Haaren gezogen wurden.
»Und das mit der Skireise ins Schullandheim in der Rhön ...«, fing Martin wieder an.
»Was ist damit?«, fragte Roland. »Sag bloß, das findest du auch schlecht?! Mann, das bedeutet eine Woche länger Weihnachtsferien!«
»Ich kann aber nicht Ski fahren«, sagte Martin.
»Denkst du, ich?«, fragte Roland. »Ich stell mir das gar nicht schlimm vor: Man steigt auf einen Berg, schnallt sich die Dinger unter die Füße und die fahren dann schon mit einem los.«
Martin musste lachen. »Vielleicht fahren die mit dir aber wohin, wo du gar nicht willst. In einen Abgrund zum Beispiel. Was machst du dann?«

»Dann mach ich's wie bei ›King's Quest‹, wenn der Prinz in die Schneeschlucht gestürzt ist: Ich drücke auf ENTER und fange einfach noch mal von vorn an«, sagte Roland. »Jetzt mach dir doch nicht gleich in die Hosen, nur weil du vielleicht mal beim Skifahren auf den Po fallen könntest.«
»Du hast leicht reden«, sagte Martin. »Du bist ja auch viel mutiger als ich.«
Wieder gingen sie eine Weile schweigend weiter. Schließlich sagte Roland: »Eigentlich wollte ich dir was ganz anderes erzählen. Heute in der großen Pause hab ich was erfahren. Jetzt weiß ich aber gar nicht mehr, ob du dich darüber freust. Wenn du sowieso schon Angst hast beim Skifahren hinzufallen und dich zu blamieren.«
»Was denn?«, fragte Martin.
»Die Parallelklasse fährt auch mit ins Schullandheim.«
»Die Parallelklasse?« Martin blieb stehen. »Auch die Mädchen?«
Roland lachte. »Ich hab gewusst, dass du das fragst«, sagte er. »Ja, auch die Mädchen. Tina Holler ist also auch dabei.«
»Tina Holler?«, fragte Martin. »Ich kenne keine Tina Holler.«
»Doch, doch, du kennst sie«, sagte Roland. »Sie hat braune Haare. Meistens hat sie so ein rotes Haarband. Sie wohnt, glaube ich, in der Schubertstraße.«
»Ach, die«, sagte Martin und versuchte dabei ganz cool zu wirken. »Woher weißt du, dass sie so heißt?«
»Ich hab in der Pause einfach ihre Freundin über sie ausgefragt«, sagte Roland. So, als ob das die leichteste Sache der Welt sei.
»Und … und woher weißt du …«, fing Martin an.

»Woher ich weiß, dass du in sie verknallt bist?«, fragte Roland und grinste. »Weil du immer richtig hippelig wirst, wenn du in ihre Nähe kommst oder sie in deine.«
»Das bildest du dir nur ein!«, sagte Martin, wurde aber puterrot dabei.
»So?«, fragte Roland. »Und warum wolltest du letzten Donnerstag wieder unbedingt durch die Schubertstraße gehn, obwohl das doch ein Riesenumweg ist? Nur weil Tina da langging. Und ständig hast du zu ihr rübergeguckt, möglichst unauffällig. Denkst du, ich sehe so was nicht? Ich bin doch nicht Naso ohne Kristall.« Naso war eine Figur aus dem Computerspiel »The last world«.
Naso war blind und konnte nur sehen, wenn er den blauen Kristall hatte.
Martin sagte: »Na ja, ich guck vielleicht mal zu ihr oder so. Mehr nicht. Ich finde halt, dass sie gut aussieht.«
»Das muss man zugeben«, gab Roland zu. »Sie hat 'ne tolle Frisur.«
»Ja? Findest du auch?« Martin strahlte. »Besonders gut sieht es aus, wenn sie sich den kleinen Zopf nicht hinten bindet, sondern an der Seite. Da stehen dann die Haare immer so witzig weg. Sie ist sowieso witzig, findest du nicht auch? Sie hat so lustige Augen. Gestern hatte sie einen neuen Ohrring. Hast du's gesehn? Nur links, rechts hatte sie

keinen. Den fand ich Spitze: einen Pinguin. Sie hat keinen Mann im Ohr, sondern einen Pinguin. Das ist doch witzig, findest du nicht?«

Statt zu antworten, setzte sich Roland aufseufzend auf den Sockel eines Schaufensters, drehte die Augen zum Himmel und tat so, als sei er von Martins Redeschwall völlig geschafft.

Martin ließ sich davon nicht ablenken. »Und das Beste, fand ich jedenfalls: Sie hatte einen Pullover an, auf dem war vorne ein Eisbär. Hast du's auch gemerkt? Passt doch gut zusammen, da hat sie sich richtig eine Geschichte ausgedacht. Pinguin und Eisbär, wie am Nordpol ...«

»Die Pinguine leben aber am Südpol!«, verbesserte Roland, der sich in Geografie wesentlich besser auskannte als Martin. »Mann, dich hat's vielleicht erwischt! An deiner Stelle würde ich nicht herumjammern, dass du nicht Ski fahren kannst, sondern mich aufs Schullandheim freuen. Vielleicht fällt Tina ja mal in den Schnee und du kannst sie aufheben. Das ist doch die beste Möglichkeit sie anzumachen.«

»Anzumachen?«, fragte Martin verständnislos.

»Sie anzuquatschen«, übersetzte ihm Roland. »Das schafft selbst ein *sehr* Schüchterner. Sogar du ... vielleicht.«

»Wie ich mich kenne, falle erst mal ich in den Schnee und brauche einen halben Tag, bis ich mit den Skiern an den Füßen wieder hochkomme«, sagte Martin düster.

Roland lachte. »Nein, noch besser: Du fällst in den Schnee und löst dadurch eine Lawine aus, die Tina halb unter sich begräbt. Und Jens Uhlmann buddelt sie wieder aus, nimmt sie auf den Arm und trägt sie in ihr Zimmer. Unterwegs verloben sich die beiden und Jens fragt dich am nächsten

Tag, ob du zusammen mit Leander Plattner bei ihnen den Trauzeugen spielen willst.«
»Mach du nur blöde Witze!«, sagte Martin, der das gar nicht lustig finden konnte. »Ich weiß nämlich wirklich nicht, ob ich mitfahren soll oder nicht.«
»Du tust so, als ob du das einfach so entscheiden könntest«, sagte Roland. »Das ist eine Klassenfahrt, das ist wie Schule. Du *musst* mit. Außerdem kannst du mich nicht allein fahren lassen. Dann werde ich womöglich mit Leander Plattner in ein Zimmer gesteckt und der Plattfuß schnarcht nachts so laut, dass ich ihn leider erwürgen muss. Und wer bezeugt dann vor Gericht, dass es Notwehr war, wenn du nicht dabei bist?«
Martin lächelte. »Na gut, ich werde wohl mitkommen müssen, bevor du unschuldig zum Tod verurteilt wirst«, sagte er.
»Versprochen?«, fragte Roland.
»Versprochen!«, sagte Martin.
Aber trotz dieses Versprechens machte er am Abend zu Hause doch noch einen halbherzigen Versuch das Ganze abzuwenden.
»Haben wir eigentlich viel Geld?«, fragte er seinen Vater.
»Was heißt *viel*, wir haben genug«, sagte der. »Warum fragst du? Brauchst du mehr Taschengeld?«
»Ich meine, ob wir es uns leisten können, Skischuhe und einen Skianzug für mich zu kaufen. Wegen der Klassenfahrt nach den Ferien, weißt du. Wenn wir nicht genug Geld hätten, müsste ich nämlich zu Hause bleiben ...«
»Mach dir deswegen keine Sorgen«, sagte sein Vater. »Weihnachten steht ja vor der Tür.«

»Wenn ich's mir recht überlege, hätte ich als Weihnachtsgeschenk lieber einen Computer als ein Paar Skischuhe«, sagte Martin.
»Das schlag dir lieber gleich aus dem Kopf, damit du nachher nicht enttäuscht bist«, sagte sein Vater. »Mama und ich haben im Büro ständig mit Computern zu tun. Ich bin froh, wenn ich mal keinen mehr sehn muss. Ich will nicht auch noch zu Hause so was rumstehn haben.«
Martin machte noch einen letzten Versuch. »Lohnt es sich denn, so viel Geld für Skisachen auszugeben, wo ich doch gar nicht Ski fahren kann?«
»Du wirst es ja hoffentlich lernen«, sagte sein Vater. »Ich denke, deswegen fahrt ihr doch in die Rhön.«
»Kannst *du* eigentlich Ski fahren?«, fragte Martin.
»Ich? Nein«, sagte sein Vater. »Leider nicht. Ich hab mich als Kind nie auf diese Bretter getraut. Und jetzt ist's zu spät.«
»Ich trau mich aber auch nicht auf diese Bretter«, sagte Martin.
»Hm.« Sein Vater legte ihm den Arm um die Schultern. »Ich kenne das Gefühl«, sagte er. »Was kann man nur dagegen machen?«
»Das wollte ich eigentlich dich fragen«, sagte Martin. »Aber wenn du es auch nicht weißt ...«
»Frag mal Mama, die ist mutiger als wir beide zusammen«, riet ihm sein Vater.
»Ach, die sagt nur wieder, dass ihr die Schüchternen wie du lieber sind ...«
»Sagt sie das?«, fragte sein Vater geschmeichelt. »Das finde ich aber schön.«

»Mir gefallen die Mutigen wie Jens Uhlmann besser«, murmelte Martin und ging in sein Zimmer.
Den ganzen Abend grübelte er darüber nach, ob es keinen Ausweg gab, keine Möglichkeit, doch zu Hause zu bleiben. Wenn er zum Beispiel eine Blinddarmentzündung bekommen oder sich den linken Arm brechen würde, könnte er ja kaum mitfahren. Wahrscheinlich würde schon ein schmerzender Backenzahn genügen. Der Gedanke mit dem Backenzahn gefiel ihm nicht schlecht. Zumal niemand genau nachprüfen konnte, ob so ein Zahn wirklich schmerzte.
Dann stellte er sich aber vor, wie enttäuscht Roland wäre, wenn er ohne ihn fahren müsste, und kam zu einem Entschluss.
Er schrieb auf ein Blatt Papier: »Seine Freunde soll man nicht im Stich lassen. Ich habe Roland versprochen, dass ich mitkomme, also komme ich mit!!!«
Daraufhin faltete er den Zettel einmal der Länge und einmal der Breite nach und legte ihn unter sein Kopfkissen. Das ist, wie man weiß, ein gutes Mittel, eine Botschaft über Nacht auf sich einwirken zu lassen. Martin hatte dieses Rezept schon oft vor Klassenarbeiten angewandt. Was beim Lernstoff für Biologie oder Erdkunde so gut funktionierte, würde bestimmt auch bei Entschlüssen wirken, sagte er sich.
Hätte er geahnt, dass nicht er, sondern Roland das Versprechen nicht einhalten würde, vielleicht wäre sein Entschluss ganz anders ausgefallen!

3. KAPITEL
Unerwarteter Besuch

Der Bus zum Schullandheim sollte am Morgen des 7. Januar um sieben Uhr dreißig am Schillerplatz starten. Die ersten Schüler wurden schon um sieben von ihren Müttern oder Vätern an der Haltestelle abgeliefert, standen da zwischen ihren Skiern, Koffern und Taschen herum und warteten auf den Bus, die Letzten trafen gegen sieben Uhr vierzig ein, darunter auch Martin Taschenbier. Seine Mutter hatte ihn mit dem Auto zur Sammelstelle gefahren. Sie war die Einzige in der Familie, die einen Führerschein besaß.
Der Bus kam um acht. Der Busfahrer behauptete, er sei in einen Stau gekommen, vielleicht hatte er aber auch nur verschlafen und wollte es nicht zugeben.
Martin trug in der einen Hand den Koffer, in der anderen eine große Tasche, in der er den Skianzug und seine neuen Skischuhe verstaut hatte. Einige der Jungen und alle Mädchen aus der Klasse trugen schon ihre Skikleidung, meist knallbunte, glänzende Overalls mit einem dicken Reißverschluss und jeder Menge farbig abgesetzter Taschen vorne, hinten und an beiden Seiten. Jens Uhlmann hatte sogar schon seine Skischuhe an. Sie waren hellblau und größer als ein Toaster.
Martin suchte zwischen all den Koffern, Taschen, Rucksäcken, Schülerinnen und Schülern nach Roland Steffenhagen

und fand ihn schließlich. Er stand neben seiner Mutter und machte ein ziemlich bedrücktes Gesicht, als er Martin auf sich zukommen sah.
»Hallo, Roland! Lange nicht gesehn«, sagte Martin. Sie hatten sich während der Ferien nur ein paarmal getroffen. »Wo hast du denn deinen Koffer?«
Roland räusperte sich, druckste herum und sagte schließlich: »Ich hab keinen. Ich darf nicht mit. Meine Mutter hat mich gerade abgemeldet.«
»Abgemeldet? Aber warum denn?«, fragte Martin.
»Roland ist erkältet. Ich habe ihm gleich eine Entschuldigung geschrieben«, sagte Rolands Mutter als Erklärung.
»Aber Mama, ich bin wirklich nicht krank. Lass mich doch mit«, bat Roland. Zu Martin sagte er leise: »Ich bin ein klei-

nes bisschen erkältet, das ist alles. Leider hab ich nicht dran gedacht, wie Mama reagiert, wenn ich huste, und hab heute Morgen beim Frühstück aus Versehen zweimal gehustet. Da hat sie sich sofort an den Computer gesetzt und eine Entschuldigung geschrieben. Dass ich nicht mit ins Schullandheim kann wegen Verdachts auf Tonsillitis.«

»Tonsillitis?«, fragte Martin.

»Ich glaube, das sind geschwollene Mandeln oder so was in der Art«, erklärte er seinem Freund und versuchte es noch einmal bei seiner Mutter: »Mama, lass mich mitfahren. Bitte!«

Sie schüttelte energisch den Kopf. »Ich kann dich doch nicht mit dieser Erkältung ins Hochgebirge fahren lassen«, sagte sie. »Da holst du dir ja eine Lungenentzündung.«

»Ins Mittelgebirge«, verbesserte Roland, der sich in Geografie wirklich gut auskannte.

»Egal, ob mittel oder hoch, du bleibst hier!«, sagte seine Mutter. »Verabschiede dich von deinen Freunden, wir fahren nach Hause!«

»Ja, dann ist wohl tatsächlich ›Game over‹. Ich kann wirklich nichts dafür«, entschuldigte sich Roland. »Du hörst es ja.«

»Soll ich denn allein fahren?«, fragte Martin fassungslos.

»Was heißt allein?«, fragte Roland und deutete auf das Gewimmel um sie herum. »Mach's gut, Martin. Und sei mir nicht böse!«

In diesem Augenblick rief auch schon Herr Daume: »So, allerhöchste Zeit! Jetzt steigt doch mal endlich ein, die Parallelklasse ist schon vor einer halben Stunde losgefahren. Tempo, Tempo!!«

Und Frau Rummler, die Klassenlehrerin, die auch mitfuhr, rief noch einmal: »Tempo, Tempo!«, als sei sie dazu da, Herrn Daumes Echo zu spielen.
Also verabschiedete sich Martin hastig von seiner Mutter, die in der Zwischenzeit seinen Koffer und die Tasche im Gepäckfach verstaut hatte, winkte Roland zu und stieg in den Bus.
»Ruf mal an!« »Telefonier mal!«, riefen Roland und Martins Mutter fast gleichzeitig, dann schloss sich die Bustür.
Die meisten Plätze waren schon besetzt. Nur neben Frau Rummler, neben Basilius Mönkeberg und neben Leander Plattner war noch ein Platz frei. Martin setzte sich neben Basilius Mönkeberg.
Nach drei Kilometern fingen die Ersten schon an, belegte Brote aus ihren Tupperdosen zu nehmen und die Verschlüsse ihrer Colabüchsen krachen zu lassen.
Martin guckte stumm aus dem Fenster. Während der Nacht hatte es ein wenig geschneit; inzwischen war aus dem Schnee gelbbrauner Matsch geworden, der von den Reifen des Busses hochspritzte und gegen die Seitenscheiben der parkenden Autos platschte.
Basilius Mönkeberg blätterte in einem Mickymausheft und schien auch keine Lust auf eine Unterhaltung zu haben.
Als sie aus der Stadt waren, ging Herr Daume nach vorn, setzte sich neben den Fahrer und nahm das Mikrofon in die Hand. »Mal alle herhören! Jetzt stellt mal einen Augenblick den Walkman ab und nehmt diese doofen Stöpsel aus den Ohren!«, sagte er. Es klang seltsam, weil man ihn vorne sprechen sah, seine Stimme aber hinten aus dem Lautsprecher kam. »Ich will euch schon jetzt ein paar Informationen

zu unserem Aufenthalt im Schullandheim Farmersberg geben. Wir fahren ungefähr vier Stunden und kommen gerade rechtzeitig zum Mittagessen an.«
Leander Plattner begann zu klatschen, als er »Mittagessen« hörte. Die anderen lachten und klatschten auch.
Herr Daume ließ sich davon nicht stören und erklärte weiter. »Das Heim besteht aus zwei Gebäuden. In dem einen werden die Jungen wohnen, im andern die Mädchen.«
Im Bus erhob sich bei dieser Nachricht ein allgemeines »Buh!«-Geschrei. Am lautesten buhten die Mädchen. Herr Daume ließ sich auch davon nicht stören. »Wenn ich ›Jungen‹ sage, meine ich die aus eurer und die aus der Parallelklasse. Das Gleiche gilt bei den Mädchen. Ich hoffe, ihr werdet euch schnell aneinander gewöhnen.«
Das Buhen fing wieder an, diesmal noch lauter als vorher. Herr Daume wurde jetzt ein wenig unwillig. »Lasst das bitte!«, sagte er. »In beiden Klassen zusammen sind einundsechzig Kinder, zweiunddreißig Jungen und neunundzwanzig Mädchen.«
Jens Uhlmann rief: »Einunddreißig Jungen! Steffenhagen fehlt doch!«
»Richtig, Jens. Einunddreißig Jungen«, verbesserte sich Herr Daume. »Aufsichtspersonen für die Mädchen sind Frau Rummler und aus der Parallelklasse Frau Ballhausen. Für die Jungen teilt sich Herr Leitprecht dieses schwere Amt mit mir. Ihr werdet ihn heute kennen lernen, er fährt im anderen Bus mit. Noch eine Information zu den Zimmern: Es gibt elf Schlafräume in jedem Gebäude, sechs mit vier Betten und fünf Zweibettzimmer. Ich nehme mit Herrn Leitprecht ein Zweibettzimmer, die andern teilt ihr euch am besten selbst

untereinander auf, dann habt ihr auf der Fahrt schon was zu tun. Das war's vorerst. Mehr im Schullandheim.«
Die meisten waren scharf auf ein Vierbettzimmer und fingen gleich an sich mit anderen zu Vierergruppen zusammenzuschließen.
Martin wurde von keinem gefragt und fragte auch keinen. Wenn Roland Steffenhagen dabei gewesen wäre, hätte er mit ihm ein Zweibettzimmer genommen. Aber Roland hatte ihn ja im Stich gelassen.
Martin schaute wieder stumm aus dem Fenster. Draußen fing es an zu schneien. Je näher sie der Rhön kamen, desto dichter fiel der Schnee. Als sie auf dem Farmersberg aus dem Bus stiegen, war alles weiß.
Sie holten ihre Koffer und Taschen und gingen ins Haus, die Mädchen durch den rechten Eingang, die Jungen durch den linken.
Zuerst gab es Wutausbrüche und lautstarke Proteste, weil die Jungen der Parallelklasse schon vier der Zimmer belegt hatten, aber nach einiger Zeit war alles geregelt. Die Jungen aus Martins Klasse teilten die restlichen zwei Viererzimmer und die vier Zweibettzimmer unter sich auf. Da sie insgesamt fünfzehn waren, musste einer allein in einem Zweibettzimmer schlafen. Dieser eine war Martin.
Als Herr Daume das mitkriegte, sagte er: »Ihr könnt Taschenbier nicht allein schlafen lassen, das ist unkameradschaftlich. Kann nicht einer aus einem Vierbettzimmer zu ihm ziehn?«
Die acht aus den Viererzimmern guckten verlegen zu Boden und wichen dem Blick von Herrn Daume aus. Man spürte, dass keiner zu Martin ins Zimmer ziehen wollte. Deshalb

sagte Martin schnell: »Herr Daume, das macht mir nichts aus. Ich kann ruhig allein sein.«
»Na gut, wenn du meinst«, sagte Herr Daume. »Dann packt mal alle eure Sachen in die Schränke. In zehn Minuten treffen wir uns unten zum Mittagessen.«
Martin hatte keine Lust mit den anderen zum Mittagessen hinunterzugehn. Er blieb im Zimmer und legte sich auf das Bett neben der Tür. Das zweite stand an der gegenüberliegenden Wand, leer. Wenn Roland Steffenhagen mitgefahren wäre, würde er jetzt drüben auf dem Bettrand sitzen und Witze machen und sie würden zusammen zum Mittagessen hinuntergehn und unauffällig gucken, an welchem Tisch Tina saß. Aber Roland war zu Hause geblieben und hatte ihn hier allein gelassen.
Der Lärm draußen auf dem Flur verstummte allmählich. Alle saßen nun unten beim Essen.
Martin stand auf und guckte aus dem Fenster. Eine dichte Schneedecke spannte sich bis zum Horizont. Aufgeplusterte Fichten säumten einen Weg, der sich weit hinten im Wald verlor. Ein kleiner, kindlicher Engel stand nackt und steinern im Brunnenbecken hinter dem Haus, das Schneemütz-

chen schief auf dem Kopf. Zu seinen Füßen wölbte sich der Schnee dick und rund aus dem Becken, wie Mamas Hefeteig, wenn er mal wieder zu sehr aufgegangen war und über den Rand der Schüssel quoll.
Nun kam auch die Sonne durch die Wolken, die Schneekristalle begannen im Licht zu glitzern wie der Hintergrund des Eispalasts in Rolands Computerspiel. Alles sah sehr schön aus, wirklich schön, und Martin dachte, dass man sich über so viel Schönheit geradezu freuen könnte, wenn man darin nur nicht ausgerechnet *Ski fahren* müsste!
Er legte sich wieder aufs Bett. Wahrscheinlich hatte gar keiner gemerkt, dass er nicht zum Mittagessen gegangen war. Wenn ein Martin Taschenbier fehlte, fiel es keinem auf. Würde Jens Uhlmann sich nur zwei Minuten verspäten, würden bestimmt alle gleich fragen: »Wo bleibt denn Jens? Habt ihr Jens gesehn?«
Falls es Herr Daume doch mitkriegte, überlegte Martin, würde er einfach behaupten, er fühle sich krank. Wenn er es recht bedachte, war er auch nicht ganz gesund. Beim Schlucken spürte er eindeutig ein leichtes Kratzen im Hals. Vielleicht würde er wirklich krank werden. Das wäre dann aber ein schlechter Witz, sagte er sich: Roland Steffenhagen muss zu Hause bleiben, nur weil er aus Versehen zweimal gehustet hat, und ich bin hier mit einer schweren Tonsillitis oder wie das heißt.
Martin stand noch einmal auf, ging zum Schrank und holte seinen Kulturbeutel heraus. Heute Morgen hatte ihm seine Mutter in höchster Eile ein paar Medizinen aus der Hausapotheke eingepackt, drei Fläschchen und eine Packung Tabletten. Sie hatte zwar erklärt, welche Mittel wofür gut sei-

en, aber Martin hatte nicht richtig zugehört, er erinnerte sich nur, dass eines wohl zur »Stärkung der Abwehrkraft« diente. Wie hätte er auch ahnen können, dass er so schnell eine Medizin brauchen würde?
Eines der Fläschchen hatte ein seltsames Etikett, einen weißen Zettel, auf den jemand handschriftlich »S.R.Tr.« geschrieben hatte.
Martin überlegte, was das heißen könne.
»Tr.« war klar, das bedeutete Tropfen. Aber welche Krankheit begann mit »S.« oder »R.«? Was hatte Rolands Mutter nur immer auf die Entschuldigungszettel geschrieben? »Halsweh, Heiserkeit, Schluckbeschwerden, Rachenrötung ...« Natürlich, das war es doch schon! »S.« hieß bestimmt »Schluckbeschwerden«, und »R.« war die Abkürzung von »Rachenrötung«. Genau die richtige Medizin! Nur dumm, dass man auf dem Etikett nicht vermerkt hatte, wie viele Tropfen er einnehmen musste. Was war wohl üblich? Dreißig Tropfen? Fünfzig? Wer weiß, vielleicht schmeckten sie abscheulich bitter. Lieber vorsichtig sein!
Martin beschloss, es erst mal bei zehn Tropfen zu belassen und sie ordentlich mit Wasser zu verdünnen.
Auf der Ablage über dem kleinen Waschbecken standen zwei blassgelbe Plastikbecher. Am weißen Belag auf dem Becherboden konnte man sehen, dass sie normalerweise als Zahnputzbecher dienten.
Martin ließ Wasser in einen der Becher laufen, wischte mit dem Finger nach, bis die Zahnpastareste weggeschwemmt waren. Dann träufelte er ungefähr zehn von den »S.R.«-Tropfen in den halb vollen Becher, kniff die Augen zu und trank ihn in einem Zug leer.

Im selben Augenblick ertönte ein Knall, gerade so, als hätte jemand eine pralle, luftgefüllte Papiertüte durch einen Schlag zum Platzen gebracht – und hinter ihm stand das sonderbarste Kind, das Martin je gesehen hatte. Er wusste nicht einmal, ob er es für einen Jungen oder ein Mädchen halten sollte. Es hatte knallrote Haare, eine Nase, die mehr einem Rüssel glich, das ganze Gesicht voller blauer Punkte und trug einen sehr, sehr witzigen Skianzug: eine Pluderhose mit Würstchenmuster. Es war genauso groß wie Martin und starrte ihn mindestens ebenso verblüfft an wie der das fremde Kind.

»Bist ... bist du aus der Parallelklasse?«, stotterte Martin. »Wie kommst du hier herein?«

»Hier herein mit dem Bein, hier herein auf den Zehen, hier herein nur aus Versehen. Deshalb muss ich wieder gehen. Guten Tag, auf Wiedersehen«, reimte das Kind und ging zur Tür.

»Halt, warte!«, rief Martin.

Das rothaarige Kind blieb stehen. »Gut, ich warte, bevor ich starte«, sagte es und balancierte dabei auf dem linken Bein. »Und dann vergiss mich, du hast mich nie gesehn! Wiedersehn.«

»Ich hab dich aber gesehn. Und ich will wissen, was das alles bedeutet«, sagte Martin. »Wer bist du? Wo kommst du her?«

»Hier ist ein Irrtum geschehen, ein dummes Versehen«, sagte das Kind. »Irgendwas ist schief gegangen, sonst könnt ich nicht hierher gelangen.« Es wechselte das Bein und balancierte nun auf dem rechten. »Reimt sich doch bestens, oder? Findest du nicht auch?«

»Jaja, es reimt sich«, sagte Martin ungeduldig. »Ich verstehe trotzdem kein Wort. Warum musst du so schnell wieder weg?«
»Irgendwer hat die ›S.R.Tr.‹ eingenommen, die einzigen, unübertrefflichen Sams-Rückhol-Tropfen. Ich bin falsch gelandet, falsch gestrandet, hier versandet. Ich hätte bei Taschenbier landen müssen«, sagte das Kind.
»Taschenbier?«, rief Martin. »Aber da bist du doch richtig!«
»Warum, wieso, weshalb?« Das Kind schaute ihn verblüfft an.
Martin sagte: »Ich heiße Taschenbier. Martin Taschenbier!«
»Taschenbier?«, schrie das Kind. »Dann bin ich ja wirklich richtig.«
Es nahm Anlauf, sprang mit einem Riesensatz auf das Bett, in dem eigentlich Roland Steffenhagen hätte schlafen sollen, hopste darin auf und ab, dass der Bettrahmen gefährlich ächzte und knarrte, und sang dabei:

»Das Sams, das ist ja richtig hier,
hier bei dem jungen Taschenbier!
Nun kann das Sams bei Martin bleiben
und sich mit ihm die Zeit vertreiben.«

»Hör doch mal auf herumzuhüpfen«, sagte Martin. »Du bist doch kein kleines Kind mehr.«

Es sprang noch einmal in die Höhe, ließ sich dann aufs Bett plumpsen und sagte: »Kein kleines Kind? Gut beobachtet! Ich bin kein Kind, ich bin ein Sams.«

»Sams?«, fragte Martin. »Was heißt das?«

»Was heißt: Was heißt das? *Ich* heiße das, ich bin das, das bin ich. Ich bin ein Sams.«

»Und was ist das, ein Sams?«

»Ein Sams ist ein Sams und sonst nichts. Schluss, aus, fertig, Ende. Sonst noch was? Du kannst's wagen, sie zu sagen, deine Fragen.«

»Musst du immer singen oder reimen?«, fragte Martin. »Kannst du nicht mal normal reden?«

»Normal? Ich rede jedes Mal total normal«, sagte das Sams überzeugt und fing erst mal an zu singen:

»Ist der Aal
total normal,
schwimmt er kahl
durch den Kanal.
Weil er aber Haare hatte,
war's kein Aal, es war 'ne Ratte.

Ist ein Schüler
ganz normal,
sitzt er jetzt
im Speisesaal.
Weil Martin aber Tropfen trank,
sitzt er mit dem Sams im Schrank.«

»Im Schrank, so ein Blödsinn«, sagte Martin. »Wir stehen im Zimmer, wir sitzen doch nicht im Schrank.«
»Du vielleicht nicht, ich schon«, sagte das Sams, öffnete die Schranktür und setzte sich hinein. »Außerdem reimt sich ›Zimmer‹ nicht auf ›trank‹, das musst du doch zugeben.«
Martin lachte. »Aber *ich* stehe immer noch im Zimmer«, sagte er. »Da hättest du schon reimen müssen:

Weil der Martin Tropfen trank,
sitzt bei ihm ein Sams im Schrank.

Das wäre richtig gewesen und hätte sich auch noch gereimt.«
»Aha, soso, das wäre dann also richtig gewesen«, sagte das Sams aus dem Schrank. »Du bist genauso pingelig und spitzfindig wie dein Vater.«

»Mein Vater?«, fragte Martin. »Wieso sagst du, ich wäre wie mein Vater? Kennst du ihn denn?!«
»Na, ich werde doch meinen Papa … äh … deinen Papa Taschenbier kennen«, sagte das Sams. »Schließlich war ich schon zweimal bei ihm, einmal ziemlich kurz und einmal ziemlich lang. Zum Abschied habe ich ihm die Sams-Rück-hol-Tropfen dagelassen, falls ich mal wieder gebraucht werden sollte. Und leider auch meinen schönen Taucheranzug. Na ja, die Würstchenhose ist auch nicht hässlich. Nicht hässlich, nicht grässlich und immer verlässlich.«

»Taucheranzug? Ach, dann ist der Taucheranzug oben auf dem Dachboden also von dir«, sagte Martin. »Warum hat Papa mir das nicht sagen wollen?«
»Vielleicht denkt er, du wärst dann tüchtig eifersüchtig geworden, und …«, fing das Sams an, da ging die Zimmertür auf und Herr Daume guckte herein.
Martin schloss blitzschnell die Schranktür und stellte sich davor.
»Taschenbier? Was machst du hier im Zimmer?«, fragte Herr Daume. »Hast du nicht gehört, dass alle nach unten in den Speisesaal gehen sollen?«
»Doch, Herr Daume«, sagte Martin.
»Doch? Und warum bist du dann noch hier? Taschenbier, du bist mir schon öfter aufgefallen als Eigenbrötler und Einzelgänger. Das kannst du meinetwegen zu Hause sein. Hier dulde ich das nicht, wir sind hier eine Gemeinschaft. Du wirst dich anpassen, verstanden? Du kommst jetzt sofort nach unten!« Herr Daume ging und ließ die Tür hinter sich offen.
Im Schrank hinter Martin fing das Sams an zu singen:

»Herr Daume, Herr Daume,
ist eine alte Pflaume …«

»Sei still!«, rief Martin halblaut. »Hör sofort auf damit!«
Herr Daume kam zurück. »Was sagtest du?«, fragte er.
»Nichts, nichts«, versicherte Martin. »Ich zieh nur noch meinen Pullover an, dann komme ich.«
»Beeil dich!«, sagte Herr Daume und ging endgültig.
Martin öffnete die Schranktür und flüsterte hinein: »Ich muss nach unten gehn, du hast es ja gehört. Bleibst du bei mir? Bleibst du hier in meinem Zimmer?«

»Natürlich bleibe ich jetzt hier«, sagte das Sams. »Denn du bist schließlich Taschenbier.«
»Schön!«, sagte Martin. »Du sollst aber ganz still sein, damit dich die andern nicht hören und sehen.«
»Ganz still?«, fragte das Sams.
»Ganz still!«, befahl Martin.
»Wünschst du dir das oder willst du das nur?«, fragte das Sams. »Überleg's dir gut. Das hab ich damals nämlich auch deinen Vater gefragt.«
»Ich will das«, sagte Martin.
»Du willst das.« Das Sams lachte. »Ganz wie Papa Taschenbier. Der hat auch erst gewollt und nicht gewünscht.« Und schon fing es lauthals an zu singen:

»Der Martin soll nach unten gehn,
die andern sollen mich nicht sehn.
Die andern sollen mich nicht hören,
das könnte sonst die andern stören.«

»Sei doch still!«, rief Martin, rannte zur Zimmertür und schloss sie hastig. »Gleich kommt Herr Daume zurück!«
Das Sams sang ungerührt weiter:

»Ich soll nicht aus dem Zimmer gehen,
Herr Daume könnte mich sonst sehen.
Ich soll nicht aus dem Zimmer kriechen,
Herr Daume könnte mich sonst riechen ...«

»Dann wünsche ich eben, dass du still bist«, sagte Martin schnell.
»Ach, du wünschst es. Dann bin ich natürlich still«, flüsterte ihm das Sams ins Ohr. »Gut! Du scheinst es ein bisschen schneller zu begreifen als dein Papa, wie das mit dem Wünschen geht.«

Martin hatte inzwischen den Pullover angezogen. »Jaja. Ich geh jetzt! Bis später!«, sagte er leise. Dann rannte er schnell hinunter zu den anderen.

In Wirklichkeit hatte Martin natürlich kein bisschen begriffen, was es mit dem Wünschen auf sich hatte und was die blauen Punkte im Samsgesicht bedeuteten.

Aber schon am nächsten Tag sollte er es erfahren.

4. KAPITEL

Ein frühes Frühstück

Am nächsten Morgen wurde Martin durch lautes Klingeln geweckt. Im Halbschlaf versuchte er den Wecker abzustellen, tastete um sich, konnte ihn aber nicht finden.
Eine laute, durchdringende Stimme begann zu singen:

»Wenn die Morgenklingel klingelt,
wenn das Sams vom Schlaf erwacht
und sich aus der Decke ringelt,
ist es mindestens halb acht.«

Martin setzte sich auf. Er lag nicht zu Hause in seinem Bett, er war ja im Schullandheim. Und das Klingeln kam von draußen, vom Flur. Und wer oder besser: *was* da so laut sang, war das Sams, sein Sams, das drüben im andern Bett geschlafen hatte.
Die Stimme von Herrn Daume ertönte draußen im Flur aus dem Hauslautsprecher: »Guten Morgen, liebe Schüler. Es ist sieben Uhr.«
»Sieben Uhr? Reimt sich doch überhaupt nicht«, sagte das Sams dazwischen.
Die Lautsprecherstimme fuhr fort: »Ihr habt jetzt eine halbe Stunde Zeit um euch zu waschen und anzuziehn. Wir treffen uns alle pünktlich um halb acht zum Frühstück im Speisesaal. *Pünktlich,* habt ihr's gehört? Bis gleich.« Der Lautsprecher knackte, dann fügte die Stimme noch hinzu: »Und

noch etwas Wichtiges: Denkt daran, dass es *Zahnbürsten* gibt, und vergesst das Zähneputzen nicht!«

»Zehenbürsten?«, wiederholte das Sams, das Herrn Daume wohl nicht ganz richtig verstanden hatte. »Ja, Zehenputzen ist ganz arg wichtig. Fast genauso wichtig wie das Naseputzen. Wichtiger jedenfalls als Ohrenputzen.«

»Zähneputzen«, verbesserte Martin. »Er hat vom *Zähne*putzen gesprochen.«

»Zähne?«, fragte das Sams. »Das ist am allerwichtigsten. Weil man die nämlich braucht zum Hineinbeißen in Würstchen.

Zähneputzen
ist von Nutzen,
weil die Zähne
sonst verschmutzen.«

Martin lachte, setzte sich auf und sagte: »Guten Morgen übrigens, Sams.«

»Guten Morgen übrigens, Martin.« Das Sams war schon aufgestanden, presste gerade die halbe Zahnpastatube auf Martins Zahnbürste aus, begann sich die Zähne zu putzen, hörte plötzlich damit auf, kostete, schmatzte, machte »Mmm!«, und schluckte alles hinunter, was es im Mund hatte. »Gute Pasta, schmeckt fantasta!«, schwärmte es, nahm die Tube und drückte sich einen fingerlangen Zahnpastastreifen gleich in den Mund.

»He, friss nicht meine Zahnpasta auf!«, rief Martin und sprang aus dem Bett.

»Du darfst auch ein Stück abhaben«, sagte das Sams und reichte Martin die Tube.

»Danke, wie großzügig«, sagte Martin.

Das Sams fragte: »Gehst du dann wieder zu den andern? Bleibst du heute wieder so lange weg wie gestern?«
»Ich muss wohl«, sagte Martin. »Aber gleich nach dem Mittagessen komme ich wieder. Ich versprech's dir.«
Am Vortag war Martin bis nach dem Abendessen unten geblieben. Erst hatte Herr Daume Skier ausgeteilt an die Schüler, die keine eigenen dabeihatten. Dazu gehörte auch Martin. Dann hatte Herr Leitprecht ihnen gezeigt, wie man die Skier an den Skischuhen festmachte, und später am Nachmittag hatten sie schon den ersten kleinen Ausflug auf Skiern unternommen. Herr Daume war mit den Schülern losgezogen, die schon Ski fahren konnten, Herr Leitprecht hatte sich um die Anfänger gekümmert, sie den kleinen Hügel vor dem Haus hinunterfahren und den Stemmbogen üben lassen. Das hatte immerhin dazu gereicht, dass Martin dreimal gestürzt war. Er hatte es aber gar nicht schlimm gefunden und war auch jedes Mal wieder schnell auf die Beine gekommen.

Überhaupt fand er das Skifahren gar nicht so schwierig, wie er es sich vorgestellt hatte. Ein Junge aus der Parallelklasse war sogar noch viel öfter hingefallen als er.
Beim anschließenden Abendessen hatte er so getan, als sei er besonders hungrig, hatte sich gleich zwei Paar Würstchen genommen, ein Paar davon unauffällig in der Tasche seiner Skijacke verschwinden lassen und es so in sein Zimmer geschmuggelt, für das Sams.
Auch heute wollte er versuchen das Sams heimlich mit Essen zu versorgen. Gar nicht einfach! Würstchen ließen sich ja noch einigermaßen gut in der Tasche verstecken. Aber was sollte er machen, wenn es zum Beispiel Erbsensuppe gab?
Das Sams schien ähnliche Überlegungen anzustellen. Es sagte: »Du kommst erst nach dem Mittagessen? Und was ist mit meinem Frühstück? Soll ich denn hier verhungern?«
»Ich geb dir die Hälfte von meinem ab«, versprach Martin. »Und ich bringe es, sobald ich kann. Spätestens in der Mittagspause.«
»Mittagspause?!«, rief das Sams. »Das ist kein Frühstück, das ist ja ein Spätstück.«
»Was soll ich denn machen? Ich kann doch nicht einfach mit meinem Frühstücksteller zu dir nach oben kommen. Wenn Herr Daume das sieht, ruft er bestimmt gleich: ›Taschenbier, wo gehst du hin? Gegessen wird hier unten und nicht auf dem Zimmer. Wir sind eine Gemeinschaft. Ich dulde keine Eigenbrötelei!‹«
»Keine Eigenbrötelei? Hm. Dann bring mir einfach Torte statt Brot«, schlug das Sams vor. »Vielleicht duldet er ja eine Eigentörtelei.«

Martin lachte. »Es gibt hier keine Torten zum Frühstück.«
»Ich muss aber ein frühes Stück Frühstück haben, sonst ist mein Magen ausdrücklich unglücklich«, sagte das Sams. »Samsregel einundneunzig:

Stückst du erst am späten Morgen,
macht dein leerer Bauch sich Sorgen.
Hast du aber früh gestückt,
ist dein Magen hoch beglückt.«

»Was soll ich denn tun?«, fragte Martin. »Ich kann schließlich kein Frühstück herzaubern.«
»Herzaubern nicht, aber herwünschen«, sagte das Sams.
Martin zuckte mit den Achseln. »Wünschen kann man sich viel ...«
»Stimmt«, bestätigte das Sams. »Dann wünsch mir doch bitte ein schönes, großes, frühes Frühstück. Oder besser zwei oder drei.«
»Warum nicht gleich zehn?«, fragte Martin und lachte.
»Zehn? Das ist lieb von dir«, rief das Sams und band sich gleich das Handtuch wie eine Serviette um den Hals. »Mit Würstchen, Kuchen und einer großen Portion Himbeereis. – Also los!«
»Los? Was meinst du mit ›los‹?«, fragte Martin, der sich inzwischen gewaschen und fertig angezogen hatte.
Das Sams schüttelte den Kopf über so viel Begriffsstutzigkeit. »Gerade hast du gesagt, du wünschst es mir«, beschwerte es sich. »Warum tust du es dann nicht?«
»Ich wünsche es mir doch. Die ganze Zeit denke ich darüber nach, wie du etwas zu essen bekommen könntest«, verteidigte sich Martin.
»Erstens sollst du es mir und nicht dir wünschen und zwei-

tens sollst du nicht still denken, sondern laut wünschen«, sagte das Sams. »Sonst funktioniert es nämlich nicht.«
»Soll ich meine Wünsche vielleicht laut hinausschreien?«, fragte Martin, dem das ganze Gespräch immer unsinniger vorkam.
»Es genügt, wenn du sie ganz normal laut sagst«, antwortete das Sams. »So ungefähr: Ich wün – sche ...«
Da Martin offensichtlich immer noch nicht begriff, was das Sams von ihm forderte, baute es sich dicht vor ihm auf, deutete auf den Mund und befahl: »Sag mir nach: Ich wün – sche ...«
»Ich wünsche ...«, sprach Martin zögernd nach.
»... wünsche dem Sams zehn Stück Frühstück mit Würstchen und Senf und dazu Erdbeerkuchen und Himbeereis mit vielen Pommes, Ketschup und Schlagsahne!«, vollendete das Sams den Satz und guckte Martin erwartungsvoll an.
»... wünsche dem Sams zehn Stück Frühstück ...« Martin unterbrach sich. »Schluss damit! Erstens ist es schon gleich halb acht und zweitens ist mir dieses Spiel zu ...«
»... zu albern« hatte er eigentlich sagen wollen. Aber mitten im Satz hörte er auf zu reden. Porzellan klirrte und dann standen plötzlich, schön hintereinander aufgereiht, zehn Tassen Pfefferminztee auf dem Zimmerboden und daneben jeweils ein Teller, auf dem das übliche Frühstück lag: zwei Scheiben Brot, ein Päckchen Butter, zwei Scheiben Wurst, zwei Scheiben Käse und ein großer Klecks Erdbeermarmelade.
»Wie ... Was ...«, stammelte Martin. »Wieso ...«
»Kein Eis, kein Ketschup, kein Kuchen«, stellte währenddessen das Sams fest. »Na ja, trotzdem besser als verhun-

gern! Danke, Martin.« Es fing an, erst mal von allen zehn Tellern die Wurst zu essen.
»Aber warum …« Martin war immer noch fassungslos.
»Wie, was, wieso, aber warum«, wiederholte das Sams kauend. »Sehr schön interessante Fragen, die du da stellst. Leider sind sie ein bisschen sehr kurz und lassen sich deshalb schwer beantworten. Könntest du ein bisschen genauer fragen?«
»Wo kommt denn auf einmal das viele Frühstück her?«, fragte Martin, der langsam seine Fassung wieder fand.
»So, wie es aussieht, kommt es direkt von unten aus dem Speisesaal. Typisches, mickriges, knickriges Schulfrühstück ohne Sahne, Senf und Ketschup«, sagte das Sams. Es hatte inzwischen alle zwanzig Wurstscheiben aufgegessen und machte sich nun über den Käse her.

Martin sagte: »Ich meine doch, wie es hier ins Zimmer kommt.«
Das Sams hörte einen Augenblick auf zu essen und guckte Martin erstaunt an. »Du hast das Frühstück doch selber hergewünscht.«
»Ja, aber … ich meine, wieso …« Martin musste erst mal nachdenken, erst mal begreifen. Schließlich fragte er zögernd: »Willst du damit sagen, dass ich Wünsche erfüllen kann?«
»Du? Nein, du kannst keine Wünsche erfüllen«, sagte das Sams, während es eine Scheibe Käse in die Marmelade stippte.
»Dann begreife ich überhaupt nichts mehr«, sagte Martin.
»Nichts *mehr*?«, fragte das Sams und schob sich den Marmeladenkäse mit einem genüsslichen Schmatzen in den Mund. »Du meinst wohl: noch weniger. Denn bis jetzt scheinst du noch überhaupt nichts begriffen zu haben. Dabei ist es doch so einfach: Du kannst zwar wünschen. Aber Wünsche *erfüllen* kann nur ich.«
»Du kannst Wünsche erfüllen?«, fragte Martin. »Richtig echt erfüllen?«
Das Sams nickte. »Dein Vater hat auch ewig lange gebraucht, bis er's endlich verstanden hatte«, sagte es. »Das scheint bei den Taschenbiers so üblich zu sein. Samsregel Nummer eins:

Bis die Taschenbiers verstehen,
kann 'ne Menge Zeit vergehen.
Bis die Taschenbiers kapieren,
kannst du massig Zeit verlieren.
Bis die Taschenbiers begreifen …«

»Jetzt lass mal deine doofen Sprüche«, sagte Martin. »Ich muss alles ganz genau wissen.«
»So, musst du das?«, fragte das Sams. »Dann frag mal drauflos!«
Aber ehe Martin mit seinen Fragen beginnen konnte, knackte es draußen im Hauslautsprecher und die Stimme von Herrn Daume ertönte: »Es ist schon fünf nach halb acht. Es ist fünf nach halb acht. Alles in den Speisesaal bitte! Es ist fünf nach halb acht.«
Das Sams öffnete die Tür. »Jaaa, ich hab's kapiert. Es ist fünf nach halb acht«, rief es in den Flur. »Du musst mir nicht alles dreimal sagen, ich bin doch kein Taschenbier.«
»Sei still!«, befahl Martin, zog das Sams ins Zimmer zurück und schloss die Tür. »Ich gehe jetzt nach unten. Aber wenn ich wiederkomme, erklärst du mir genau, wie das mit den Wünschen ist, ja?«
»Ganz genauestens genau«, versicherte das Sams.
»Versteck dich gut bis dahin! Ich will nicht, dass man dich entdeckt. Nein, besser: Ich *wünsche*, dass du dich gut versteckst.«
»Na gut, na schön«, sagte das Sams, schob die Tassen unters Bett, räumte alle Teller in den Schrank, setzte sich auch hinein und zog die Schranktür zu.

»Jetzt bin ich so perfekt versteckt,
dass mich Herr Pflaume nicht entdeckt«,

sang es dumpf aus dem Schrank.
Martin sagte: »Und dann wünsche ich noch, dass du ganz still bist. Wiedersehn, Sams. Bis später!«
Die Schranktür öffnete sich wieder, das Sams kam auf Zehenspitzen herausgeschlichen, ging zu Martins Tasche und

kramte mit der einen Hand darin herum, während es mit der anderen Martin zu sich heranwinkte.
»Was ist denn jetzt schon wieder? Was soll das?«, fragte er.
Das Sams schien endlich gefunden zu haben, wonach es suchte, einen Bleistift. Es beroch ihn zufrieden, legte ihn dann beiseite und vertiefte sich wieder in die Tasche. Es schien nach einem Blatt Papier zu suchen.
Martin wurde immer ungeduldiger. »Ich hab's eilig«, sagte er drängend.
Das Sams zuckte mit den Achseln, ging mit dem Bleistift zur Wand und schrieb »Auf Wiedersehn, Martin. Bis später!« auf die Tapete.

»Deswegen dieses ganze Theater?«, fragte Martin. »Warum *sagst* du es nicht einfach?«
»Weil du gewünscht hast, dass ich ganz still bin«, schrieb das Sams daneben.
»Ach so. Dann wünsche ich eben nur, dass du weder singst noch schreist und auch sonst keinen Lärm machst, bis ich wiederkomme«, sagte er. »Und dass du die Schrift auf der Tapete wieder ausradierst.«
»Wiedersehn, Martin. Bis später!«, antwortete das Sams artig, rubbelte die Bleistiftschrift mit der Spitze seiner Rüsselnase ab und schlich in sein Schrankversteck zurück.
Laut pfeifend ging Martin nach unten zu den anderen. Er fand es ausgesprochen gut, dass er auf die Idee gekommen war, vom Sams zu *wünschen*, dass es leise sei und sich gut versteckt hielt. So würde es bestimmt niemand entdecken. Wie gut und praktisch, dass ich herausgefunden habe, dass ein Sams alles tut, was man will, wenn man nur »ich wünsche« sagt, dachte er dabei.
Aber nur zu schnell sollte er erfahren, dass nicht alle Samswünsche gut und praktisch waren.

5. KAPITEL
Das zweite Frühstück

Als Martin in den Speisesaal kam, waren die meisten Plätze schon besetzt. Neben dem Jungen aus der Parallelklasse, der gestern noch häufiger gestürzt war als er, stand ein freier Stuhl. Martin ging zögernd darauf zu.
»Der Platz ist noch frei«, sagte der Junge.
»Seh ich«, sagte Martin und setzte sich.
»Ich heiße übrigens Gerald«, sagte der Junge, während er ihm den Brotkorb reichte.
»Ich heiße Martin«, sagte Martin. Er drehte sich um, tat so, als gucke er nach den Lehrern, und fragte dabei: »Wo sitzen eigentlich Leitprecht und Daume?« In Wirklichkeit versuchte er natürlich, möglichst unauffällig nach Tina Holler zu schauen.
»Euer Daume ist nebenan in der Küche, es scheint da Schwierigkeiten zu geben«, erzählte Gerald. »Die Küchenfrauen sind jedenfalls ganz aufgeregt.«
Inzwischen hatte Martin Tina entdeckt. Er spürte, dass er wie immer einen knallroten Kopf bekam, und drehte sich schnell zurück. Sie kam zur Tür herein und es schien, als steuere sie geradewegs auf ihn zu. Sie ging aber zum Nachbartisch und setzte sich zu den Mädchen aus der Parallelklasse. Ihr Stuhl stand unmittelbar hinter seinem, die

Rückenlehnen stießen fast aneinander. Wenn Martin sich weit zurücklehnte, würde sein Hinterkopf ihren Haarschwanz mit dem roten Band berühren.
Martin beugte sich tief über seinen Teller.
»Gebt ihr mir mal 'ne Tasse und 'nen Teller rüber?«, sagte Tina gerade zu den anderen an ihrem Tisch.
»Es sind keine mehr da«, antwortete eines der Mädchen. »Komm, wir holen uns welche!«
Tina rückte hinter Martin ihren Stuhl zurück und stieß dabei gegen seine Lehne. »'tschuldigung!«, sagte sie.
Gerald tippte Martin an und fragte: »He, was ist mit dir los? Bist du geistig weggetreten oder was? Hörst du mir überhaupt zu?«
Tina zwängte sich an Martin vorbei und ging mit dem anderen Mädchen zum Mittelgang.
»Wie bitte?«, fragte Martin.
»Ob du mir zuhörst«, wiederholte Gerald.
»Ich? Ja, natürlich«, sagte Martin.
Herr Daume kam in den Speisesaal, mit ihm zwei Frauen in weißen Kittelschürzen. Sie wirkten ziemlich aufgeregt. Eine hatte ihr weißes Häubchen abgesetzt und drehte es fortwährend in den Händen. Martin hatte sie schon am Vortag beim Austeilen des Essens gesehen. Da hatte sie freundlich gelacht. Heute schien sie weniger gut gelaunt zu sein. Die andere, eine kleine Frau mit spitzer Nase und spitzem Kinn, sah er zum ersten Mal.
Herr Daume blieb stehen und rief: »Mal Ruhe bitte!«
Die beiden Frauen nahmen rechts und links von ihm Aufstellung. Es wurde schnell ruhig im Speisesaal, alle guckten zu den dreien. Tina und das andere Mädchen zwängten sich

wieder an Martin vorbei, gingen zu ihren Plätzen zurück und setzten sich.
Herr Daume sagte: »Ich möchte euch Frau Christlieb und Frau Felix vorstellen. Sie sind hier für die Küche und unser Essen zuständig. Sie möchten etwas ansagen, es scheint ein Problem zu geben.«

Da er bei »Frau Felix« auf die Kleine gedeutet hatte, musste die Große, Dicke logischerweise Frau Christlieb sein.
Frau Christlieb räusperte sich und rief: »Also, die es gemacht haben, sollen sich melden und sagen, wo sie die Sachen versteckt haben.«
»Sie werden auch nicht bestraft«, fügte Frau Felix hinzu.
Frau Christlieb nickte und sagte: »Sie müssen sich nicht einmal melden, wenn sie nicht wollen. Sie müssen die Sachen nur wiederbringen, nicht wahr?«
»Und zwar möglichst schnell«, fügte Frau Felix hinzu.
»Am besten gleich!« Frau Christlieb nickte wieder. »Weil ja sonst die zehn fehlen, nicht wahr?«
»Die hatten wir nämlich gestern Abend schon vorbereitet«, fügte Frau Felix noch hinzu.
Frau Christlieb sagte:
»Und jetzt müssten wir sie ja noch mal machen und das kostet Zeit, nicht wahr?«
»Mindestens zehn Minuten«, fügte Frau Felix hinzu.

Frau Christlieb nickte, sagte: »Na?!«, und guckte auffordernd in die Runde.
Sechzig Schüler und drei Lehrkräfte (nämlich Frau Ballhausen, Frau Rummler und Herr Leitprecht) guckten verständnislos zurück und warteten auf weitere Erklärungen. Es kamen aber keine mehr.

»Was für Sachen denn?«, fragte schließlich Jens Uhlmann.
Herr Daume ergriff wieder das Wort. »Frau Christlieb und Frau Felix meinen, dass sich jemand von euch einen ziemlich dummen Streich erlaubt hat. Ich kann mir zwar nicht vorstellen, dass es stimmt, frage aber trotzdem: War jemand von euch heute Nacht in der Küche und hat zehn Teller, Tassen und Untertassen weggenommen oder versteckt?«
»Und zehn Portionen Wurst, Käse und Marmelade«, ergänzte Frau Christlieb.
»Und Brot auch!«, fügte Frau Felix hinzu.
Ein allgemeines Kopfschütteln war die Antwort.
Einer aus Martins Klasse guckte zu Leander Plattner und rief lachend: »Gib's zu, Plattfuß, du hast heute Nacht Hunger gekriegt!«
Leander fand das gar nicht komisch und drohte mit der Faust.
Die Umsitzenden lachten und fingen an diese Vorstellung

auszuschmücken. »Erst hast du die knusprigen Teller gegessen und als Nachtisch die knackigen Tassen. Stimmt's?«, fragte einer.
Leander wurde immer wütender, was die anderen dazu brachte, immer heftiger zu lachen und Witze zu machen.
Martin war gar nicht nach Lachen zumute. Er allein wusste ja, wo die zehn Frühstücksportionen geblieben waren. Was sollte er jetzt tun? Sich melden? Eigentlich hatte ja nicht er die Sachen weggenommen, sondern das Sams. Das heißt: *Weggenommen* hatte sie auch das Sams nicht, sie waren von ganz alleine ins Zimmer gekommen. Sollte er etwa sagen: »Das Sams hat die zehn Frühstücke aufgegessen, nachdem sie plötzlich in meinem Zimmer gelandet waren!« Wie sollte er alles erklären? Er wusste ja selbst nicht genau, was ein Sams war, weshalb es zu ihm gekommen war, und schon gar nicht, wie zehn Frühstücksteller aus dem Nichts in seinem Zimmer erscheinen konnten.
Herr Daume rief zum zweiten Mal: »Ruhe bitte!«
Es wurde wieder still im Speisesaal.
»Hört auf dumme Witze zu machen«, sagte Herr Daume. »Ich sehe jedenfalls an euren Reaktionen, dass ihr es nicht wart. Hätte ich mir, ehrlich gesagt, auch gar nicht vorstellen können. So gut kenne ich euch inzwischen.« Er wandte sich den beiden Frauen zu. »Tja, meine Damen«, sagte er. »Sie sehen: Meine Schüler waren es wohl nicht. Könnte es sein, dass Sie sich vielleicht gestern Abend schlicht und einfach verzählt haben?«
Frau Christlieb wurde bei dieser Unterstellung puterrot im Gesicht und sagte: »Niemals! Wir haben uns bis jetzt noch nie verzählt.«

»So ein Fall wie dieser ist uns noch nie passiert«, fügte Frau Felix hinzu. »Trotzdem bleibt uns wohl nichts anderes übrig, als noch einmal zehn Frühstücksportionen zu machen.« Sie wandte sich an Herrn Daume: »Aber das kostet Zeit. Schließlich müssen die Wurst und der Käse erst mal geschnitten werden.«
»Und das Brot auch«, ergänzte Frau Christlieb.
Herr Daume fragte: »Sollen Ihnen vielleicht ein paar Schüler dabei helfen?«
Frau Felix schüttelte den Kopf. »Nein, lieber nicht. Sie kennen sich ja sowieso nicht aus. Außerdem besteht die Gefahr, dass ... dass ...« Sie guckte hilfesuchend zu Frau Christlieb hinüber.
»... dass die dann noch einmal unsere Wurst klauen, nicht wahr?«, ergänzte Frau Christlieb.
Anscheinend hatte sie damit ausgesprochen, was Frau Felix nicht zu sagen wagte. Denn die nickte nachdrücklich, nahm Frau Christlieb beim Arm und zog sie mit sich in die Küche.
Herr Daume guckte den beiden nach, zuckte die Achseln und sagte dann: »Es werden also einige von euch ein wenig auf ihr Frühstück warten müssen.« Er schaute auf die Uhr. »Dann ändern wir eben unseren Tagesplan: Wir treffen uns nicht um acht Uhr dreißig vor dem Haus, sondern zehn vor neun. Bis dahin sind dann auch die Nachzügler mit ihrem Frühstück fertig. Aber pünktlich acht Uhr fünfzig. Habt ihr gehört! Und jetzt lasst euch nicht weiter beim Essen stören. Guten Appetit!«
Er setzte sich an seinen Platz neben Frau Ballhausen, bestrich ein Brot dick mit Butter, legte eine Scheibe Wurst obenauf und biss herzhaft hinein.

»Der hat gut reden: *Guten Appetit!* Der hat schließlich ein Frühstück«, sagte hinter Martins Rücken ein Mädchen zu Tina. »Wir können jetzt zehn Minuten warten, bis die da drin fertig sind.«
»Ausgerechnet heute«, hörte Martin Tina antworten. »Ich bin hungrig wie ein Wolf.«
Martin beugte sich tief über seinen Teller. Tina musste hungern und er war schuld daran! Oder zumindest mitschuldig,

weil er dem Sams diesen doofen Wunsch nachgesprochen hatte. Martin nahm seinen ganzen Mut zusammen, drehte sich um und tippte Tina auf die Schulter.
Tina wandte sich um. »Ja?«, sagte sie fragend.
»Du kannst mein Frühstück haben«, sagte Martin und reichte ihr erst seine Tasse, dann den Teller mit der Wurst und dem Käse hinüber.
»Ehrlich? Einfach so?«, fragte Tina erstaunt.
»Jaja«, versicherte Martin ihr schnell. »Ich ... ich hab heute sowieso keinen Hunger.«

Tina schaute einen Augenblick unschlüssig auf den Frühstücksteller in ihrer Hand. Sie schien zu überlegen, ob sie das Angebot wirklich annehmen könne.
»Nimm es ruhig, es macht mir wirklich nichts aus«, sagte Martin. »Ich … ich hab mir wohl ein bisschen den Magen verdorben oder so …«
»Dann nehme ich's. Nett von dir«, sagte Tina und stellte den Teller vor sich auf den Tisch. »Danke, Martin.«
»Bitte«, wollte Martin eigentlich antworten. Aber er brachte nur »bit…« heraus, denn urplötzlich war ihm aufgegangen, was sie gesagt hatte. Sie hatte ihn »Martin« genannt! Woher kannte sie seinen Namen?! Am liebsten hätte er Tina gleich danach gefragt. Aber das traute er sich dann doch nicht.
»Mann, du bist ja ein richtiger Kavalier oder wie man das nennt«, sagte Gerald. »Gibt einfach sein Frühstück an Tina ab. Hoffentlich denkt Sophie jetzt nicht, dass ich meins auch weitergebe. Ich hab nämlich Hunger.«
»Welche Sophie?«, fragte Martin.
»Na, die Freundin von Tina«, sagte Gerald. »Die neben ihr. Sie sitzen auch bei uns in der Klasse nebeneinander.« Er wandte sich an Sophie: »Du kannst die Hälfte von meinem Wurstbrot abhaben. Du musst mir aber wieder ein halbes Brot zurückgeben, wenn das neue Frühstück kommt«, sagte er.
»Oh, wie großzügig«, spottete Sophie. »Er leiht mir ein Stück von seinem Brot. Nein danke, Tina hat mir schon eine Scheibe abgegeben.«
»Na, dann eben nicht. Doofe Weiber«, brummelte Gerald. Er fragte Martin: »Und du? Willst du ein Stück von meinem Wurstbrot abhaben?«

Martin hörte nicht hin. Er versuchte gerade unauffällig den Kopf zu drehen und zu Tina zu schauen.
»Hörst du mir überhaupt zu?«, fragte Gerald.
»Ich? Ja, klar«, antwortete Martin, der aber keineswegs zuhörte. Er war viel zu sehr damit beschäftigt, Tina aus den Augenwinkeln zu beobachten.
Sein Frühstück schien ihr zu schmecken, sie aß gerade ein Käsebrot mit kräftigen Bissen auf und unterhielt sich dabei mit Sophie. Jetzt kam es ihm so vor, als ob auch sie sich halb umwandte und zu ihm hinguckte. Er wurde so verlegen, als habe sie ihn bei etwas Verbotenem ertappt, drehte sich schnell wieder zurück und fragte Gerald: »Was hast du gesagt?«
»Ich hab gefragt, ob du was von mir abhaben willst«, nuschelte Gerald mit vollem Mund.
»Ich? Nein. Ich hab wirklich keinen Hunger«, sagte Martin. Das stimmte. Er war so aufgeregt, dass er jetzt keinen Bissen hinuntergebracht hätte.
»Ehrlich nicht? Schenkst du mir dann dein Frühstück?«, fragte Gerald.
»Das hab ich doch schon Tina geschenkt«, sagte Martin.
»Ich meine das neue, das gleich kommt. Du hast deins weitergegeben, also kriegst du wieder eins«, erklärte Gerald ihm.
»Meinetwegen. Kannst du haben«, sagte Martin.
»Danke.« Gerald biss ein riesiges Stück seines Wurstbrotes ab. »Nachschub kommt!«, sagte er dann und zeigte zur Küchentür, wo Frau Christlieb und Frau Felix gerade einen fahrbaren Tisch mit den zehn fehlenden Frühstückstellern herausschoben.

»So, hier sind die Frühstücke, die noch fehlen«, rief Frau Christlieb. »Alle, die noch kein Frühstück hatten, können kommen.«
»Und eins abholen«, ergänzte Frau Felix.
»Na, dann geh ich mal gleich und hol mir einen Wurstteller«, sagte Gerald.
Er stand auf. Martin erhob sich von seinem Stuhl um ihn vorbeizulassen. Gleichzeitig drängte sich auch Sophie an ihm vorbei. Martin wich nach hinten aus, verlor für einen Augenblick das Gleichgewicht, fiel fast auf Tina und konnte sich im letzten Augenblick noch mit der Hand auf ihrer Schulter abstützen.
»Verzeihung«, stammelte Martin und zog seine Hand schnell zurück.
»Hoppla«, sagte Tina lachend. »Willst du mich vom Stuhl werfen?«
»Nee, natürlich nicht«, antwortete Martin. »'tschuldigung.«
»War schon nicht schlimm«, beruhigte Tina ihn. »Setz dich doch wieder hin.«
»Ich ... ich muss noch mal in ... in mein Zimmer«, stammelte Martin mit hochrotem Kopf und ging hastig vom Tisch weg, auf den Ausgang des Speisesaals zu.
Warum renne ich eigentlich davon? So was Doofes! – Martin schimpfte innerlich mit sich. – Nur weil ich verlegen bin und nicht weiß, was ich reden soll. Aber immerhin: Wir haben uns unterhalten! Richtig gesprochen haben wir miteinander. Und sie weiß sogar, dass ich Martin heiße. Wenn das Roland Steffenhagen wüsste, der würde vielleicht staunen!

Als er an Leander Plattners Platz vorbeikam, wurde Martin jäh aus seinen Tagträumen gerissen.
Leander hatte sich eine ganze Menge dummer Witze über die verschwundenen Frühstücksportionen anhören müssen. Er kochte immer noch vor Wut, auch wenn er es sich nicht anmerken ließ und gleichgültig tat. Jetzt endlich sah er eine Gelegenheit, sich an jemandem für all die Gemeinheiten zu rächen.

Gerade als Martin an Leander vorbeiging, streckte der sein Bein aus und er tat es so geschickt, dass Martin darüber stolperte und in hohem Bogen zu Boden fiel.
»Das hast du mit Absicht getan!«, rief Martin. Er stand auf und pustete in seine Handflächen. Sie schmerzten, denn er hatte versucht den Sturz mit den Händen abzubremsen.
»Ich hab nur meine Füße ein bisschen ausgestreckt. Mir war es so eng unterm Tisch. Ich kann ja nicht ahnen, dass eine kurzsichtige Eule gleich drüberfliegt«, sagte Leander.

»*Fliegt* ist übrigens genau richtig. Du bist geflogen wie ein Vogel, richtig schön geflogen.«
Ein paar Schüler, die mit Leander am Tisch saßen, fanden das recht lustig und lachten. Dadurch fühlte sich Leander angeregt mit seinen Spötteleien fortzufahren. »Du könntest direkt in einem Tierkundebuch stehen, unter ›Vögel unserer Heimat‹«, höhnte er. »Sogar mit Farbbild.«
Normalerweise hätte Martin Leander Plattner nur böse angefaucht, hätte es vielleicht noch gewagt, abschätzig »Plattfuß!« zu murmeln, und wäre dann schnell weggelaufen. Leander war so viel stärker als Martin, es hatte einfach keinen Zweck sich mit ihm anzulegen. Schon gar nicht, wenn Roland Steffenhagen ihm nicht beistehen konnte.
Martin war auch schon dabei, sich umzudrehen und wortlos wegzugehen, da merkte er plötzlich, dass Tina die ganze Szene mitgekriegt hatte. Sie war von ihrem Platz aufgestanden und schaute zu ihm herüber. Sie lachte nicht mit den anderen. Es schien ihm sogar, als gucke sie Leander Plattner ganz böse an.
Martin gab sich einen Ruck, drehte sich Leander Plattner zu, packte ihn am Pullover, schüttelte ihn und rief: »Das machst du nicht noch mal, du Plattfuß!«
Leander war von Martins Angriff völlig überrascht. Er brauchte eine Sekunde, bis er sich von seiner Verblüffung erholt hatte, aufstand und sich drohend vor Martin aufbaute. Die meisten im Speisesaal hatten inzwischen mitgekriegt, was da vor sich ging, hörten auf zu essen und guckten zu den beiden hinüber.
Leander Plattner fasste Martin mit beiden Händen vorne am Hemd, hob ihn hoch, bis Martins Gesicht mit seinem auf

gleicher Höhe war und sagte: »Was hast du gemeint, Kleiner? Sag das noch mal!«
»Lass mich runter, Plattfuß!«, keuchte Martin. Er konnte nur mühsam atmen, der Hemdkragen drückte gegen seinen Hals und schnürte ihn ein, während er immer noch in der Luft hing, hochgestemmt von Leanders Fäusten.
Leander ließ ihn los, Martin plumpste unsanft auf die Füße und fand nur mühsam das Gleichgewicht. Während er noch schwankend nach Halt suchte, holte Leander schon aus, die Hand zur Faust geballt. Martin hielt die Hände schützend hoch um den Schlag abzufangen. Aber zum Glück hatte auch Herr Daume die Auseinandersetzung bemerkt, war zum Tisch hinübergespurtet, fasste jetzt Leander Plattner am Arm und sagte: »Hört sofort auf damit! Was soll denn das? Seid ihr total übergeschnappt? Schlagen sich am hellen Morgen im Speisesaal, alles was recht ist!«
Leander Plattner warf Martin einen bösen Blick zu und setzte sich wieder hin.
»Los, gebt euch die Hand!«, befahl Herr Daume. »Und dann ist Schluss mit der Feindschaft. Na, wird's bald!«
Missmutig streckte Leander Plattner die Hand aus. Martin ergriff sie und drückte sie kurz.
»So, und jetzt will ich in aller Ruhe zu Ende frühstücken. Verstanden?«, sagte Herr Daume. Als keiner der beiden antwortete, fragte er noch einmal scharf: »Ob ihr verstanden habt, will ich wissen!«
»Ja«, antwortete Martin.
»Verstanden«, sagte Leander.
»Dann ist es ja gut«, sagte Herr Daume und ging zu seinem Platz zurück.

Martin drehte sich um und wollte schon weggehen, da packte ihn Leander schnell am Arm, zog ihn zu sich und flüsterte: »Wenn du dich traust, kannst du dich ja mit mir hinterm Haus treffen. Zu einem fairen Kampf, ohne dass dir Onkel Daume hilft. Aber dazu hast du ja viel zu viel Angst, du Zwerg!«
»Das werden wir ja gleich sehen, wer mehr Angst hat, du Plattfuß«, flüsterte Martin zurück, drehte sich endgültig um und rannte die Treppen hoch, in sein Zimmer.
Auf was hatte er sich da nur eingelassen?!
Wenn Roland Steffenhagen das wüsste, würde er bestimmt sagen: »Ein Zweikampf mit dem Plattfuß? Du allein gegen ihn? Das ist ja glatter Selbstmord! Da hat ja Commander Keen in der Halbmond-Pyramide ohne Munition mehr Überlebenschancen!« Und Roland hätte damit nicht mal übertrieben.
Aber immerhin gab es ja noch das Sams. Das war jetzt Martins ganze Hoffnung. Das Sams würde bestimmt einen Ausweg finden!

6. KAPITEL

Der Zweikampf

Als Martin in sein Zimmer kam, war vom Sams nichts zu sehen. Er rannte zum Schrank, öffnete ihn und schaute hinein: Da stapelten sich nur die zehn leeren Teller.
»Sams?«, rief er. »Sams!«
Keine Antwort.
Martin bückte sich und guckte unters Bett. Da standen immer noch die zehn Tassen. Vom Sams keine Spur. Es hatte ihn wohl verlassen und war weggegangen. Vielleicht sogar für immer. Traurig ließ sich Martin aufs Bett fallen.
»Aua!«, sagte eine Stimme unter ihm. »Ich bin doch kein Trampolin!« Martin sprang wieder auf und schlug das Federbett zurück. Das Sams lag darunter und grinste ihn an.
»Gefunden!«, rief es und hüpfte aus dem Bett. »War ich gut versteckt?«
»Schön, dass du noch da bist«, sagte Martin erleichtert. »Ich hab schon Angst gehabt.«
»Angst? Vor mir?«, fragte das Sams.
»Nein. Ich dachte, du wärst vielleicht so plötzlich verschwunden, wie du gekommen bist.«
»Plötzlich verschwunden? Was du für merkwürdige Ideen hast!«, sagte das Sams. »Ich hab nur deinen Wunsch erfüllt. Ich war doch wirklich gut versteckt, oder?«
»Ja, ja. Sehr gut«, gab Martin zu.

»Wirklich äußerst gut?«, wollte das Sams wissen.
»Äußerst bestens«, bestätigte Martin.
»Das ist überaus höchstbestens gut, dass ich so äußerst gut versteckt war«, sagte das Sams und fing vor lauter Begeisterung an zu singen:

»Unter dicken Federdecken
kann man sich sehr gut verstecken.
Erst nach hundertzwölf Sekunden
hat der Martin mich gefunden.
Hätt ich mich nicht gut versteckt,
hätte er mich gleich entdeckt …«

Martin unterbrach das Lied. »Hör bitte mal auf zu singen«, sagte er. »Du musst mir nämlich helfen. Und zwar sofort.«
»Helfen?«, fragte das Sams. »Nichts lieber als das. Soll dir jemand Hilfe schenken, brauchst du nur ans Sams zu denken. Worum geht's denn?«
»Ich hab was ganz Blödsinniges getan. Ich hab dem Plattfuß gesagt, dass ich keine Angst vor ihm hab und dass ich mich mit ihm schlage.«
»Dem linken oder dem rechten Plattfuß?«, fragte das Sams und betrachtete eingehend Martins Füße. »Das ist ja wirklich eine dusselig-dämliche, total törichte und besonders bescheuerte Blödsinnigkeit: Entweder dein Fuß ist der Stärkere und gewinnt den Kampf. Dann geht's dir schlecht, denn so ein Fuß kann ganz schön hart zutreten. Oder aber du gewinnst und verprügelst deinen Fuß. Ist das etwa besser? Keine Spur! Weil du dann nämlich Fußschmerzen hast. Ich verstehe sowieso nicht, wie man mit seinem Fuß Streit anfangen kann …«
»Aber nein«, sagte Martin und musste trotz seiner Sorgen

lachen. »So nennen wir doch einen aus unserer Klasse. Den Größten und Stärksten. Eigentlich heißt er Leander Plattner.«

»Den Größten und Stärksten?«, fragte das Sams. »Warum wünschst du nicht einfach, dass du größer und stärker bist als dieser Flachfuß?«

»Das geht? So was geht wirklich?«, fragte Martin aufgeregt.

»Na, warum habe ich denn sonst Punkte im Gesicht?«, sagte das Sams.

»Ja eben: Warum hast du eigentlich diese blauen Sommersprossen im Gesicht?«, fragte Martin. »Das wollte ich dich schon seit gestern fragen.«

»Sommersprossen?«, rief das Sams. »Das sind Wunschpunkte. Bei jedem Wunsch von dir verschwindet ein Punkt aus meinem Gesicht ...«

»Und alle Wünsche gehen in Erfüllung?«, fragte Martin.

»Alle nicht. Aber die allermeisten«, erklärte ihm das Sams. »Unmögliche Wünsche gehen natürlich nicht. Außerdem gibt es leichte, mittelschwere und besonders schwierige Wünsche. Die allerschwierigsten funktionieren nur, wenn ich mindestens zwei Punkte auf einmal verbrauche.«

»Und wenn ich mir wünsche, dass ich stärker bin als der Plattfuß? Ist das ein unmöglicher Wunsch?«, wollte Martin wissen.

»Das ist, schätze ich mal, ein mittelschwerer Wunsch. Etwas schwer, doch nicht sehr«, sagte das Sams. »Es kommt darauf an, wie viel stärker du sein willst als dieser Knackfuß.«

»Zehnmal! Ich wünsche, dass ich zehnmal so stark bin wie Leander Plattner«, sagte Martin schnell.

»Au«, sagte das Sams und kratzte sich da am Ohr, wo soeben ein blauer Punkt verschwunden war. »Musste es wirklich gleich zehnmal sein? Doppelt so stark hätte auch genügt. Hat ganz schön gejuckt, als der Punkt verschwunden ist; scheint doch ein recht schwieriger Wunsch gewesen zu sein.«
»Und jetzt bin ich wirklich stärker?«, fragte Martin. »Versprichst du mir das? Nicht, dass ich mich jetzt mit dem Plattfuß hinter dem Haus treffe und er mich fürchterlich verhaut!«
»Du kannst mich und dich verlassen«, sagte das Sams. »Mich kannst du verlassen, indem du hinters Haus gehst. Und dich kannst du auch verlassen. Nämlich darauf verlassen, dass du diesen Senkfuß fürchterlich schrecklich hauen könntest, wenn du wolltest«, erklärte das Sams.
»Wirklich?«, fragte Martin.
»Wirklich«, bestätigte das Sams. »Weil nicht zu verhindern ist, dass du zehnmal stärker bist.« Es lauschte seinen Worten nach. »Das hat sich von ganz alleine gereimt, hast du's gehört? Dieser ziemlich zwecklose Zweikampf bringt mich auf richtig reizvolle Raufereireime. Hör mal:

Zehnmal hast du seine Kraft,
das ist mehr als vorteilhaft:
Kaum beginnt die Rauferei,
ist sie aus und schon vorbei,
weil der Gegner, schnell besiegt,
waagrecht auf dem Boden liegt ...«

»Senkrecht kann er ja schlecht liegen«, sagte Martin dazwischen.
»Ich sag's ja: Du bist genauso spitzfindig wie dein Vater«,

maulte das Sams und hörte auf zu reimen. »Jedenfalls bist du jetzt zehnmal so stark wie dieser Hohlfuß.«
»Mal sehen, ob du Recht hast«, sagte Martin. Ihm war eine Idee gekommen, wie er es ausprobieren konnte. Jens Uhlmann hatte einmal den anderen aus der Klasse vorgeführt, wie stark er war. Er hatte einen Stuhl ganz unten an einem der vier Beine gefasst und ihn mit ausgestrecktem Arm hochgehoben, ohne dass der Stuhl kippte. Das sah einfach aus. Aber nur Leander Plattner hatte es nachmachen können. Kein anderer aus der Klasse hatte es geschafft.
Martin rückte einen Stuhl in die Zimmermitte, bückte sich und fasste ihn am Bein um ihn in die Höhe zu stemmen. Das Sams stand mit bedenklichem Gesicht daneben und guckte zu, wie der Stuhl in Martins Hand nach oben schoss wie eine Rakete und so gegen die Hängelampe knallte, dass sie in die Höhe geschleudert wurde und an der Decke anstieß. Das Glas des Lampenschirms klirrte, blieb zum Glück aber heil. Als Martin den Stuhl schon wieder abgestellt hatte, schwang der Schirm immer noch heftig hin und her.
»Mann, der Stuhl war ja plötzlich leichter als ein trockener Tafelschwamm!«, rief Martin. »Was hast du denn mit dem gemacht?«
»Gar nichts«, antwortete das Sams. »Er ist so schwer wie immer. Nur du hast etwas mehr Kraft als vorher. Du hast gewünscht, dass du zehnmal so stark bist wie der Plattfuß. Und weil der vorher mindestens doppelt so stark war wie du, bist du jetzt mindestens zwanzigmal stärker als bisher.«
»Wenn das so ist, kann mir wirklich nichts passieren«, sagte Martin. »Dann geh ich jetzt gleich nach unten zu Leander Plattner.«

»Viel Glück, komm bald zurück«, rief ihm das Sams nach. »Und geh nicht nur nach unten, sondern auch vorsichtig mit den Sachen um!«
»Mit welchen Sachen denn?«, fragte Martin.
»Mit allen«, antwortete das Sams. »Zum Beispiel mit der Türklinke.«
Aber die Warnung kam schon zu spät, denn Martin hatte bereits zu kraftvoll an der Klinke gezogen und sie dabei abgebrochen.
»So ein Pfusch!«, schimpfte er und schaute auf die Türklinke in seiner Hand. »Wie komme ich denn jetzt aus dem Zimmer?«

»Dazu wirst du wohl einen weiteren Wunschpunkt verbrauchen müssen«, sagte das Sams.
»Natürlich!«, rief Martin. »Ich wünsche, dass die Klinke wieder an der Tür ist wie vorher.«
Ein Punkt auf der Stirn des Sams verschwand. Martin öffnete vorsichtig die Tür und ging nach unten, zu den anderen.

Der Speisesaal hatte sich inzwischen halb geleert. Nur an ein paar Tischen saßen noch Schülerinnen oder Schüler, unterhielten sich oder aßen. Leander Plattner war noch beim Frühstück. Anscheinend hatte er sich alle Brot- und Wurstreste zusammengeholt, die an den umliegenden Tischen übrig geblieben waren, denn auf seinem Teller türmten sich Brote und Wurstscheiben.
»Was ist?«, fragte er, als Martin sich vor ihm aufbaute und ihn stumm anschaute. »Verschwinde! Ich kann's nicht leiden, wenn man mir beim Essen zuguckt.«

»Ich dachte, du wolltest mit mir hinters Haus, um dir dort eine Portion Prügel abzuholen«, sagte Martin. »Oder hat dich inzwischen der Mut verlassen?«
Leander Plattner vergaß vor Verblüffung zu kauen und starrte Martin mit offenem Mund an.
Dann fragte er: »Was hast du gesagt? Wiederhol das noch mal!«
Die Schüler an den umliegenden Tischen hörten auf zu reden und guckten zu Martin hinüber. Auch sie schienen ihren Ohren nicht zu trauen.
Martin wiederholte: »Hast du nicht vorhin was von einem fairen Kampf gesagt, draußen, hinterm Haus? Aber wenn du Angst hast und dich nicht mit mir hinaustraust ...«
»Angst?«, rief Leander und sprang von seinem Platz auf. »Komm mit, du Mini-Zwerg, du abgesägter Wichtelmann! Los, los! Dich mach ich so fertig, dass dich dein Freund Roland für Frankensteins Monster hält und schreiend wegrennt, wenn er dich sieht.«
Martin antwortete nicht und ging schweigend neben Leander zum Hinterausgang hinaus.
Die anderen Schüler im Speisesaal hatten inzwischen mitgekriegt, was da ablief, und kamen hinterher. Einer rannte sogar die Treppe zu den Schlafräumen hoch und schrie oben im Flur: »Kommt schnell! Kommt nach unten! Taschenbier und der Plattfuß wollen sich hinterm Haus verkloppen! Schnell!« Dann rannte er wieder hinunter, um keine Sekunde des Zweikampfs zu versäumen.
Die Zuschauer bildeten einen Kreis um Leander und Martin. Alle warteten gespannt auf den Anfang des ungewöhnlichen Kampfes.

Es gab manchmal Raufereien und kleine Schlägereien in der Klasse. Aber die entstanden meist unvorhergesehen. Einfach dadurch, dass zwei so in Zorn gerieten, dass sie hitzig aufeinander eindroschen und wieder voneinander abließen, wenn ihre Wut verraucht war. Dies hier war anders, war ein abgesprochenes, kühl geplantes Duell, ohne Wut und Jähzorn. Beide schienen deshalb Hemmungen zu haben den ersten Schlag zu tun, den anderen ohne Vorwarnung zu boxen oder gar ins Gesicht zu hauen. Sie standen sich gegenüber, starrten sich in die Augen und warteten auf eine Aktion des Gegners.

»Na, was ist, Plattfuß?«, fragte Martin. »Hast du doch Angst?«

Das sollte Leander dazu reizen, den ersten Schlag zu tun und anzufangen. Es funktionierte auch. Leander geriet langsam in Wut.

»Gleich vergehn dir deine dummen Sprüche!«, sagte er und stieß Martin dabei mit der Hand vor die Brust. »Gleich liegst du flach.«

Martin wurde einen halben Schritt zurückgedrängt, taumelte, fing sich aber sofort wieder. Leander setzte nach und packte Martin vorne am Hemd.

»Lass das!«, keuchte Martin und schubste Leander mit beiden Händen von sich weg. Die Umstehenden schrien überrascht auf, denn der Plattfuß überschlug sich in der Luft, flog mindestens einen Meter weit, bevor seine Füße wieder den Schnee berührten, und kam mit einem derartigen Schwung auf, dass er fünf Schritte zurückstolperte, dort gegen den Kreis der Zuschauer prallte, dabei einige wie Kegel umstieß, um dann endgültig zu Boden zu gehen.

Völlig verdattert saß Leander im Schnee, schüttelte ein paarmal den Kopf und konnte sich offensichtlich gar nicht erklären, was mit ihm geschehen war. Martin war nicht weniger verblüfft über das, was er mit einem einzigen kleinen Stoß gegen Leanders Brust bewirkt hatte.
»Los, Plattfuß, erheb dich! Mach schon!«, riefen die Zuschauer. »Wie lange willst du noch liegen bleiben!«
Leander Plattner rappelte sich auf, schüttelte den Schnee von sich, ballte angriffslustig die Fäuste und kam so auf Martin zu. Die Schüler, die mit Plattfuß zu Boden gegangen waren, standen ebenfalls auf und schlossen den Kreis wieder. Alles wartete gespannt auf die zweite Runde.
Martin hob abwehrbereit die Hände.
In diesem Augenblick rief eine Männerstimme: »Was geht hier vor?«
Herr Daume kam aus der Tür gerannt.

Martin und Leander versuchten sich möglichst schnell und unauffällig unter die anderen Schüler zu schmuggeln. Martin ging hinter einem Jungen aus der Parallelklasse in Deckung. Leander versteckte sich hinter Basilius Mönkeberg. Besser gesagt: Er versuchte sich zu verstecken. Denn er überragte Basilius um mindestens fünfzehn Zentimeter.

Herr Daume war inzwischen bei der Gruppe angelangt. »Könnt ihr mir mal erklären, was hier los ist und warum ihr alle hier herumsteht?«, fragte er.

»Plattfuß ... ich meine: Plattner ist hingefallen«, sagte einer der Schüler.

»Hingefallen?«, fragte Herr Daume.

»Ja«, sagte ein anderer. »Er muss wohl auf Glatteis oder einer Eispfütze ausgerutscht sein, und PÄNG lag er auf dem Rücken.«

Das mit dem Glatteis war nicht einmal als Ausrede gedacht. Die Zuschauer, die ja nichts von Martins Wunderkräften ahnten, konnten sich den plötzlichen Sturz Leanders gar nicht anders erklären.

»Und weshalb ist er gestürzt? Ihr steht doch nicht alle zufällig hier herum. Ihr ahnt doch nicht schon vorher, dass Plattner fallen wird. Da stimmt doch was nicht!« Herr Daume wandte sich an Jens Uhlmann, der zufällig neben ihm stand. »Jens, was war hier los?«

Jens zuckte mit den Schultern und antwortete: »Eigentlich war gar nichts. Nichts Besonderes jedenfalls ...«

»Redet nicht drum herum: Was war hier los?«, fragte Herr Daume noch einmal. Jetzt nahm er sich Basilius Mönkeberg vor. »Mönkeberg, du sagst mir jetzt sofort, warum Plattner gestürzt ist. Was ging hier vor?«

Basilius schluckte, dann sagte er zögernd: »Na ja, Taschenbier und Plattner haben sich gehauen.«
»Ich hab's geahnt. Taschenbier, Plattner! Kommt sofort her zu mir!« Herr Daume stützte die geballten Hände in die Hüften. Man sah, wie wütend er war. »Ich habe euch zwei Streithähne schon beim Frühstück verwarnt. Aber ihr wollt anscheinend nicht hören. Na gut. Wer nicht hören will, muss fühlen. Ihr beide geht auf der Stelle in eure Zimmer und lasst euch den ganzen Tag nicht hier unten blicken. Kein Skiausflug, keine Schneewanderung. Ihr habt Zimmerarrest bis heute Abend, verstanden? Und nun ab mit euch!«
Martin Taschenbier und Leander Plattner gingen nebeneinander zur Haustür und dann die Treppe hoch zu ihren Zimmern. Leander mit wütendem, verkniffenem Gesicht, Martin ausgesprochen fröhlich. Oben im Flur, wo ihn Herr Daume nicht mehr hören konnte, pfiff er sogar laut vor sich hin.
»Das wirst du mir noch büßen, du Zwerg. Zweimal hat dich der Daume jetzt gerettet. Aber irgendwann erwische ich dich, wenn der Daume nicht in der Nähe ist, dann geht's dir dreckig! Wenn ich nicht gestolpert und ausgerutscht wäre, würdest du sowieso laut flennen und nicht hier herumpfeifen«, zischte Leander Plattner, bevor er im Zimmer verschwand und die Tür hinter sich zuwarf.
Martin kümmerte sich nicht um ihn und schlenderte weiter pfeifend den Gang entlang zu seinem Zimmer. Er fühlte sich großartig. Er hatte den Zweikampf mit Plattfuß glücklich überstanden und er hatte einen ganzen Tag geschenkt bekommen. Einen Tag ohne die schweren, lästigen Skischuhe, ohne Skifahren und Stürze in den Schnee. Und vor allen Dingen einen Tag zusammen mit dem Sams.

Was aber das Allerschönste war: Als er draußen auf die Haustür zugegangen war, hatte er Tina oben im Nachbarhaus am Fenster gesehen. Sie hatte die Hand gehoben und fast unmerklich gewunken, als sie sah, dass er zu ihr hochguckte. Vielleicht hatte sie den ganzen Kampf von da aus beobachtet. Dann wusste sie jetzt, dass man Martin Taschenbier nicht einfach im Speisesaal ein Bein stellen konnte, ohne dass der sich wehrte! Er hatte sich von diesem Plattfuß jedenfalls keine Angst einjagen lassen und er war sehr stolz auf sich.

Wenn Herrn Daume klar gewesen wäre, welche Freude er Martin mit dem Zimmerarrest machen würde, hätte er sich bestimmt eine andere Strafe ausgedacht.
Und wenn Herr Daume auch nur entfernt geahnt hätte, was er an diesem Tag noch für Überraschungen erleben sollte, hätte er Martin nicht nur keinen Zimmerarrest verordnet, sondern ihm im Gegenteil verboten sein Zimmer überhaupt zu betreten.

7. KAPITEL

Herr Daume wundert sich

»Hallo, Sams! Da bin ich wieder«, sagte Martin, als er in sein Zimmer kam.

Er schlug die Tür wie gewöhnlich hinter sich zu. Sie flog mit einer solchen Wucht ins Schloss, dass es knallte wie bei einer Explosion in Roland Steffenhagens Computerspielen. Der Türrahmen wackelte und von der Wand fiel ein Stück Verputz herunter.

»Hoppla!«, sagte Martin, hob das Stück auf und wollte es eigentlich in den Papierkorb werfen. Er hatte aber die Wucht seines Wurfes falsch eingeschätzt. Das Geschoss flog hoch über den Papierkorb hinweg und prallte gegen die Fensterscheibe. Es klirrte, das Glas splitterte, Martin schimpfte. »So 'n Mist!«, rief er. »Ich hab daneben getroffen.«

»Wieso daneben?«, fragte das Sams und begutachtete die Fensterscheibe. »Du hast die Scheibe doch bestens getroffen. Genau in die Mitte, na bitte!« Und weil es damit wieder mal gereimt hatte ohne es eigentlich zu wollen, reimte es gleich begeistert weiter:

»Dieser Wurf hat gut getroffen,
denn nun ist das Fenster offen.
Dieser Wurf ist gut gelungen,
denn die Scheibe ist zersprungen.

Dieser Wurf war wirklich fein:
Jetzt kommt frische Luft herein!«

»Der Wurf war ganz und gar nicht fein!«, schimpfte Martin. »Wenn ich frische Luft im Zimmer will, öffne ich das Fenster und werfe es nicht ein!«

Das Sams sagte: »Wieso? Du *hast* es aber doch eingeworfen.«

»Das wollte ich nicht. Ich hab in den Papierkorb gezielt«, erklärte ihm Martin. »Aber das Stück Mörtel ist davongeflogen wie ein Düsenflugzeug. Das macht diese Superkraft. Die geht mir langsam auf die Nerven.«

Das Sams maulte. »Erst wünschst du, dass du zehnmal so stark bist wie dieser Plattfuß und holst mir damit den schönsten blauen Punkt vom Ohr, dann beschwerst du dich auch noch darüber!«

»Ich beschwere mich ja gar nicht, ich wünsche mir nur, dass ich nicht so superstark bin und nicht alles, was ich in die Hand nehme, gleich kaputtgeht«, versuchte Martin dem Sams zu erklären. Damit hatte er aber aus Versehen gewünscht und ein weiterer blauer Punkt war aus dem Samsgesicht verschwunden.

»Mach nur weiter so. Bald hast du alle Punkte weggewünscht!«, sagte das Sams und kratzte sich an der Wange. »Es sind höchstens noch achtundvierzig.«

»War das wirklich ein ... ein Wünschwunsch?«, fragte Martin. Er fasste den Stuhl an der Lehne und hob ihn hoch. »Stimmt! Der Wunsch hat gewirkt. Der Stuhl ist genauso schwer wie immer. Schade.«

»Du kannst dich ja wieder stärker wünschen«, schlug das Sams vor.

Martin überlegte. »Nein«, sagte er dann. »Den Kampf mit dem Plattfuß hab ich vorerst hinter mir, die erste Runde habe ich sogar gewonnen. Im Augenblick muss ich nicht mehr unbedingt so stark sein. Ein anderer Wunsch ist jetzt wichtiger: Ich wünsche, dass die Fensterscheibe wieder ganz ist.«
»Das war kein besonders schwieriger Wunsch«, stellte das Sams fest. »Dieses Fensterscheibchen hat höchstens ein winzig kleines Wunschpünktchen gekostet.«
»Ach, sind deswegen die Punkte in deinem Gesicht verschieden groß?«, fragte Martin. »Kleine Punkte für leichte Wünsche, große für schwierige?«
»So ist es«, bestätigte das Sams. »Genau so und nicht anders.«
»Und ich kann wünschen, was ich will?«, fragte Martin.
»Du kannst es ja gleich noch einmal ausprobieren«, sagte das Sams. »Ich wüsste nämlich einen wirklich wunderschönen Wünschwunsch.«
»Welchen denn?«
»Ich hätte so gerne meinen Taucheranzug wieder«, gestand das Sams. »Die Würstchenhose ist ja nicht die schlechteste, aber mein Taucheranzug ist der beste.«
»Wenn es weiter nichts ist! Ich wünsche, dass du wieder deinen Taucheranzug anhast.«
»Danke, Martin, danke!«, rief das Sams und stampfte begeistert mit seinen Taucherflossen auf den Fußboden, dass es nur so knallte.
Martin staunte. »Du kannst tatsächlich alle Wünsche erfüllen!«
»Alle, bis auf die unmöglichen«, antwortete das Sams.

»Das hast du vorhin schon gesagt. Was sind denn unmögliche Wünsche?«
»Zum Beispiel, wenn du wünschst, dass ich gleichzeitig im Zimmer von Papa Taschenbier und draußen vor der Haustür stehe.«
Martin lachte. »Auf so eine dumme Idee käme sowieso niemand.« Er wurde aber gleich wieder ernst und fragte weiter. »Was ich immer noch nicht begreife: Warum darf ich eigentlich wünschen?«
»Warum? Das habe ich dir doch gerade soeben sogleich erklärt«, sagte das Sams. »Weil ich Wunschpunkte habe und jeder pünktliche Punkt einen wünschigen Wunsch bedeutet.«
»Ich meine das anders. Warum darf *ich* wünschen und nicht zum Beispiel Jens Uhlmann oder Basilius Mönkeberg.«
»Weil ich zu dir gekommen bin und nicht zu Stenz Puhlmann oder Brasilius Stinkeberg«, antwortete das Sams.

Martin ließ nicht locker. Er wollte es jetzt genau wissen. »Und warum bist du ausgerechnet zu mir gekommen?«
Das Sams verdrehte die Augen. »Na, weil *du* die Sams-Rückhol-Tropfen getrunken hast und nicht diese anderen.«
»Und woher kommen diese Sams-Rückhol-Tropfen?«, fragte Martin weiter.
»Das fragst du *mich*? Das sollte ich eher dich fragen«, rief das Sams. »Das Fläschchen habe ich deinem Vater dagelassen, als ich vor zwölf Jahren von ihm wegging. Eigentlich waren die Tropfen für ihn bestimmt. Kann ich vielleicht ahnen, dass diese Tropfen bei jedem Taschenbier weit und breit funktionieren?«
»Ich habe aber noch eine Frage. Wie bist du denn zu meinem Vater gekommen? Wenn du ihm die Tropfen erst beim Abschied geschenkt hast, mit welchen Tropfen hat er dich dann zu sich geholt?«
Das Sams lachte. »Ganz ohne Tropfen. Aber das ist eine viel zu lange Geschichte.* Die soll dir dein Vater erzählen, wenn du wieder zu Hause bist. Hauptsache, du weißt jetzt: Jeder meiner Punkte hier ist ein Wunsch für Taschenbier.«
»Ich wüsste schon einen Wunsch. Einen ganz wichtigen. Den habe ich schon lange«, fing Martin an. »Es ist wahrscheinlich einer von den besonders schwierigen. Also, ich wünsche ...«
»Halt!«, rief das Sams dazwischen. »Sag mir lieber vorher, was du dir wünschen willst. Am Ende ist es einer von diesen unmöglichen Wünschen und die sind für mich ganz schön gefährlich. Davon bekomme ich nämlich hohes Fieber.«

* Diese Geschichte könnt ihr im Buch »Eine Woche voller Samstage« nachlesen.

»Ich möchte gerne anders sein. Nicht mehr schüchtern, verstehst du? Ich möchte auch nicht mehr so ängstlich sein. Nicht so ... so ... na ja, jedenfalls nicht so, wie ich jetzt bin«, versuchte Martin dem Sams zu erklären.
»Du willst also verändert werden?«
»Ja, genau.«
»Gut, dass ich vorher gefragt habe«, sagte das Sams. »So ein Wunsch gehört nämlich zu den unmöglichen oder fast unmöglichen. Ändern kann ich dich leider nicht, das musst du schon selbst tun. Wie schon das Lied sagt.«
»Welches Lied?«
»Das Lied, das ich jetzt gleich dichte. Achtung:

Andre können dich nicht ändern,
ändern musst du dich allein.
Du wirst nie die andern ändern,
aber du kannst anders sein.«

Martin war enttäuscht. »Menschen kannst du also nicht verzaubern?«
»Für kurze Zeit schon. Ich habe dich ja auch zehnmal stärker gemacht als Plattfuß. Aber ich kann dich nicht für immer verändern.«
»Und wenn ich nicht wünsche, dass du mich ganz veränderst, sondern nur, dass ich ein bisschen mutiger bin?«
»Auch so ein Wunsch hält nur kurze Zeit. Leider!«, antwortete das Sams. »Aber du könntest es ja üben.«
»Üben? Wie denn üben?«
»Ich spiele zum Beispiel etwas, wovor du dich fürchtest, und du versuchst nicht wegzurennen. Gibt es etwas, wovor du besonders Angst hast?«
Martin überlegte.

»Ich habe vor tausend Sachen Angst«, sagte er dann. »Vor Prüfungen, vor Hunden …«
»Vor Hunden?«, unterbrach das Sams. »Das ist gut. Ich kann nämlich besonders gut bellen.«
»Wenn du bellst, kriege ich doch keine Angst. Da muss ich höchstens lachen«, sagte Martin. »Du beißt ja auch nicht.«
»Oh, ich könnt's dir beweisen und gleich in dich beißen«, sagte das Sams. »Aber keine Angst, ich tu's nicht.

Ein Biss in das Bein
wäre nicht fein,
um deine Wade
wäre es schade;
um den Po
sowieso.
Also beiß ich Martin nicht. –
Na, wie war mein Samsgedicht?«

Es guckte Martin erwartungsvoll an. Aber der hatte sich inzwischen aufs Bett gesetzt und hörte gar nicht richtig hin. Der Gedanke an einen ganz bestimmten Hund hatte ihn auf recht trübe Gedanken gebracht. Das Sams setzte sich neben ihn.
»Ich kenne ein Mädchen, das heißt Tina …«, fing Martin an zu erzählen.
»Ist das so schlimm, dass du deswegen gleich trübselig traurig vor dich hingucken musst?«, fragte das Sams.
»Nein, natürlich nicht«, sagte Martin. »Ich hab mir nur gerade überlegt, dass ich mich wahrscheinlich nie ins Haus von Tinas Eltern hineintraun würde …«
»Sind die so gefährlich?«, fragte das Sams.
»Nein, natürlich nicht«, antwortete Martin, nun schon zum

zweiten Mal. »Es ist, weil bei ihnen am Tor ein Schild hängt: ›Vorsicht, bissiger Hund‹ oder so ähnlich. – Aber darüber muss ich mir eigentlich gar keine Sorgen machen. Ich lerne Tina ja sowieso nie kennen.«
»Ich denke, du kennst sie?!«, fragte das Sams.
»Ja. Aber nicht richtig. Nur aus der Entfernung«, sagte Martin. Er ließ den Kopf hängen und starrte auf den Fußboden. »Nur vom Sehen, verstehst du?«
»Jetzt fang nicht an griesgrämig zu grübeln und düstere Gedanken zu denken!« Das Sams sprang vom Bett auf und boxte Martin freundschaftlich gegen die Schulter. »Wünsch dir einfach was Witziges«, schlug es vor. »Ich könnte zum Beispiel machen, dass du immer ›eis‹ sagst, wenn du ›and‹ sagen willst.«
»Du meinst wohl ›und‹«, verbesserte Martin.
Das Sams schüttelte den Kopf. »Wenn ich ›and‹ sage, meine ich ›and‹ und nicht ›und‹.«
»Was soll daran witzig sein?«, fragte Martin. »Das wäre höchstens eine Wunschpunktverschwendung. Weil ich nämlich nie ›and‹ sage.«
»Wirklich? Dann wünsch es dir doch!«
»Na gut. Wenn's dir Spaß macht. Es sind schließlich deine Punkte, die weggewünscht werden«, sagte Martin. »Ich wünsche, dass ich immer ›eis‹ sage, wenn ich eigentlich ›and‹ sagen will. Zufrieden?«
»Sehr!« Das Sams strahlte. »Und nun sag mal ›Leander und die anderen‹!«
Martin fragte: »Warum soll ich gerade ›Leeiser und die eiseren‹ sagen?«
»Hehehehe!« Das Sams lachte meckernd. »Und du sagst

angeblich nie ›and‹. Und jetzt sprich mir nach: Roland stand am Strand im Sand!«
»Roleis steis am Streis im Seis«, versuchte Martin zu wiederholen. »Komisch, in meinem Versteis geht alles durcheineiser! Wie gut, dass mich die eiseren aus meiner Klasse nicht so reden hören, die wären vor Lachen außer Reis und Beis. Mann, das wäre eine Sch ...« Eigentlich hatte er sagen wollen, »eine Schande«. Dann fiel ihm aber gerade noch ein, was dabei herausgekommen wäre. Er bekam einen Lachanfall und lachte fast noch mehr als das Sams.
Schließlich sagte er: »So, genug jetzt. Jetzt musst du meine Sprache wieder zurückverweiseln. Hör zu: Ich wünsche, dass ich wieder ›eis‹ sage, wenn ich ›eis‹ sagen will, und nicht mehr ›eis‹!«
»Das war nun wirklich eine Wunschpunktverschwendung«, stellte das Sams fest. »Denn ›eis‹ sagst du ja sowieso schon die ganze Zeit.«
»Ich wollte doch ›eis‹ sagen!«, rief Martin. »Nein, nicht ›eis‹! Um Himmels willen, jetzt kann ich das Ganze ja gar nicht zurückwünschen. Wenn ich das gewusst hätte, wäre ich nicht einversteisen gewesen. Da wäre ich ja lieber mit den eiseren auf eine Skiweiserung gegangen, als hier mit dir herumzuwünschen.«
»Herumzuwünschen! Wie du das sagst!« Das Sams rümpfte die Rüsselnase. »Dabei musst du nur ein bisschen einfallsreicher wünschen und alles ist wie vorher.«
Martin dachte kurz nach. Dann nickte er und sagte: »Ich wünsche, dass ich wieder so spreche wie vor dem Wunsch mit dem ›eis‹.«
»So müsste es geklappt haben«, sagte das Sams und schielte

auf seine Rüsselnasenspitze. »Auf meiner Nase ist jedenfalls ein Punkt weniger.«
»Wand, Hand.« Martin probierte es aus. »Land, Brand. Puh! Ich kann wieder normal sprechen.«
»War das vielleicht nicht witzig?«, fragte das Sams.
»Einigermaßen«, schränkte Martin ein. »Eines weiß ich: Meine Sprache werde ich mir nicht mehr durcheinander bringen lassen. Wenn ich schon wünsche, dann etwas Vernünftiges.«
»Ja, genau. Etwas völlig vollkommen Vernünftiges: Du wünschst dir Sachen her. Das kann ich nämlich am besten.«
»Denkst du dabei an etwas Bestimmtes?«, fragte Martin, dem ein Verdacht kam. »Etwa an Erdbeerkuchen?«
»Erdbeerkuchen?«, antwortete das Sams. »Nein, lieber Törtchen mit Sahnehäubchen und Schokostreuseln. Und danach einen großen Teller voll Kartoffelsalat mit zwei, drei Gürkchen.«
»Törtchen? Gürkchen? Nachdem du vorhin schon das ganze Frühstück unten im Speisesaal durcheinander gebracht hast? Nein. Kommt nicht in Frage!«, sagte Martin.
»Dann wenigstens einen kleinen Teller Kartoffelsalat ohne Gürkchen?«, bettelte das Sams.
»Wieder nein«, sagte Martin. Das Wort »Teller« hatte ihn auf eine Idee gebracht. »Ich werde nichts herwünschen, sondern etwas wegwünschen.«
»Mich?«, fragte das Sams. »Nur weil ich eine winzige Kleinigkeit essen wollte?«
»Doch nicht dich!«, sagte Martin und legte seinen Arm um die Schulter des Sams. »Dich würde ich nie wegwünschen und wenn du zehnmal so verfressen wärst!«

»Verfressen?«, wiederholte das Sams empört. »Wenn man kurz nach dem Frühstück ein bisschen Appetit auf vier, fünf Törtchen mit Schokostreuselchen und ein Schüsselchen Kartoffelsalat mit Gürkchen verspürt, ist das doch nicht verfressen! Das nimmst du sofortschnellst zurück, sonst bin ich baldigst beleidigt!«
»Na gut. Ich nehm's zurück«, sagte Martin.
»Schön«, sagte das Sams. »Dann darfst du jetzt auch deine Sachen wegwünschen. Was soll's denn sein?«
»Die Teller und Tassen, die immer noch im Schrank und unter dem Bett stehn«, antwortete Martin. »Womöglich kommt jemand in mein Zimmer, sieht das Geschirr und denkt, ich hätte die zehn Portionen Frühstück geklaut.«
»Stimmt«, sagte das Sams. »Dabei hast du sie doch gar nicht geklaut, sondern gewünscht.«
Martin sagte: »Ich wünsche, dass die Tassen und Teller hier aus meinem Zimmer verschwinden und wieder unten stehn ...« Eigentlich wollte er sagen »in der Küche«. Dann kam ihm eine bessere Idee. Leise lachend vollendete er den Satz so: »... unten stehn, und zwar unter dem Tisch von Herrn Daume und Herrn Leitprecht.«
Es klirrte leise und Teller und Tassen waren aus Martins Zimmer verschwunden.
»Und was machen wir jetzt?«, fragte das Sams.
»Ich weiß auch nicht«, sagte Martin. »Ich könnte vielleicht ein bisschen lesen.«
»Lesen?« Das Sams schüttelte den Kopf. »Lass uns lieber Karten spielen. Mit deinem Papa hab ich immer Sechsundsechzig gespielt.«
»Sechsundsechzig?« Nun schüttelte Martin den Kopf. »Fast

so langweilig wie Schwarzer Peter! Außerdem habe ich gar keine Karten dabei.«
»Du kannst sie dir ja wünschen«, schlug das Sams vor.
»Nein, nein. Keine Karten«, antwortete Martin. »Wenn ich mir schon wieder etwas wünsche, dann etwas ganz anderes...« Er musste unwillkürlich grinsen. Ihm schien ein witziger Einfall gekommen zu sein.
»Was denn?«, fragte das Sams.
»Es hängt mit der Idee zusammen, die du vorhin hattest«, sagte Martin und konnte das Lachen kaum noch unterdrücken.
»Mit welcher Idee denn?« Je mehr Martin in sich hineinlachte, desto argwöhnischer betrachtete ihn das Sams.
»Du hast doch behauptet, du kannst gut bellen«, sagte Martin. »Da muss dir mein Wunsch richtig Spaß machen: Ich wünsche, dass du ein Hund bist!«
Das Sams verdrehte die Augen. »Das ist vielleicht ein dummer Wu ... Wu ... wuff! Wuff, wuff!«
Vor Martin stand ein großer weißer Dalmatinerhund mit blauschwarzen Punkten auf dem Fell und bellte ihn vorwurfsvoll an.
»Bist du mir jetzt böse deswegen?«, fragte Martin.
»Wuff!«, bellte der Hund.
»Heißt das ›ja‹ oder ›nein‹?«, fragte Martin.
»Wuff, wuff, wau, wuff!«, antwortete der Hund.
»Kannst du mich überhaupt verstehn?«
»Wuff!«
»Hm.« Martin überlegte. »Wenn du mich verstehen kannst, dann machen wir jetzt aus, dass einmal bellen ›ja‹ bedeutet und zweimal ›nein‹. Einverstanden?«

»Wuff!«
»Hast du nur einfach so gebellt oder war das schon ein ›ja‹?«, fragte Martin.
Der Hund antwortete nicht und wedelte mit dem Schweif.
Martin sagte: »Ich muss anders fragen. – Heiße ich Martin?«
Der Hund antwortete nicht nur »Wuff«, er nickte auch mit dem Kopf.
Martin fragte: »Oder heiße ich Leander Plattfuß?«

Der Hund setzte sich auf die Hinterbeine, tippte sich mit der Vorderpfote an die Stirn und bellte deutlich zweimal hintereinander.
»Schön. Du kannst mich also immer noch verstehn. Ich hatte schon Angst, du wärst vielleicht ein richtiger Hund geworden«, sagte Martin erleichtert.
Der Dalmatinerhund guckte an sich herunter, als wollte er sagen: Wieso? Bin ich denn kein richtiger Hund?
»Ich meine doch, dass echte Hunde die Menschensprache

nicht verstehn. Oder nur ein paar Befehle«, erklärte Martin ihm. »Aber du verstehst alles.«
»Wuff«, sagte der Hund.
»Gut«, sagte Martin. »Dann können wir ja jetzt spielen, was du vorhin vorgeschlagen hast.«
»Wau-wau, wuff-wau?«, bellte der Hund fragend.
»Du bellst ganz laut und ich muss dich anfassen, ohne mich zu fürchten«, sagte Martin. »Fang an!«
Der Sams-Hund begann zu bellen. Aber er bellte so komisch, dass Martin nicht nur keine Angst hatte, sondern einen derartigen Lachanfall bekam, dass er sich lachend und kichernd aufs Bett werfen musste.
Der Hund bellte nämlich die Melodie von »Morgen kommt der Weihnachtsmann«:

»Wauwau wuff wau Wauwau-wuff,
Wau wau wauwau Wau-wuff ...«

Als der Hund (oder sollte man besser sagen: das Sams?) merkte, welchen Heiterkeitserfolg sein Bellen (oder sollte man besser sagen: sein Singen?) bei Martin hervorbrachte, fing er an allerlei Kunststücke zu machen, ging erst auf den Hinterbeinen, wackelte dann auf den vorderen durchs Zimmer, sprang zu Martin ins Bett, machte einen Purzelbaum und versuchte eine Rolle rückwärts, die ihm aber nicht recht gelang.
Da öffnete sich plötzlich die Tür zu Martins Zimmer einen Spaltbreit und Leander Plattner guckte herein.
»*Hier* ist der Hund, der so laut bellt!«, rief er und kam einen Schritt ins Zimmer. »Du hast hier drinnen einen Hund? Das sage ich Herrn Daume! Das ist nicht erlaubt. Und schon gar nicht bei Zimmerarrest. Das sage ich!« Er schloss die Tür

von draußen und rannte den Flur entlang zum Treppenhaus.
Martin riss die Tür auf und rief ihm nach: »Bleib hier!«
Leander rannte weiter.
Martin rief: »Wehe, du verpetzt uns! Dann kriegst du es mit meinem Hund zu tun!«
Das war eine leere Drohung. Martin wollte nur, dass Plattfuß stehen blieb, es war nicht ernst gemeint.
Leander Plattner antwortete nicht und rannte nur noch schneller auf das Treppenhaus zu.
Der Sams-Hund schien Martins Drohung wörtlich zu nehmen, stürzte aus dem Zimmer, rannte hinter Leander her und verbiss sich in seinem rechten Hosenbein. Leander brüllte, als hätte ihm der Hund die Reißzähne zentimetertief ins Bein geschlagen.
Martin rief: »Sams! Komm her! Sams, komm sofort zurück!«
Der Hund ließ von Leanders Hosenbein ab, kam zu Martin und guckte ihn mit schief gehaltenem Kopf erstaunt an.
»Komm rein, Sams!«, sagte Martin. »Schnell, schnell! Es

hat keinen Zweck. Der Plattfuß verpetzt uns sowieso. Du musst dich verstecken, bevor Herr Daume kommt. Wo könntest du nur hin? Wieder in den Schrank?«
Der Sams-Hund schüttelte den Kopf, sprang auf das zweite Bett, das eigentlich für Roland Steffenhagen bestimmt war, und versuchte sich dort unter das Kissen zu wühlen. Martin zog die Decke über den Hund und strich sie glatt, so gut es ging. Dann legte er sich auf sein Bett. Wenig später wurde die Tür ein zweites Mal von außen aufgestoßen. Diesmal war es Herr Daume, der hereinguckte.

Herr Daume war gerade dabei gewesen, mit den anderen Schülern vors Haus zu gehen, um einen Schneemann zu bauen, als er Leanders laute Hilferufe hörte. Er war sofort die Treppe hochgerannt und wäre dort fast mit dem völlig aufgelösten Leander Plattner zusammengestoßen, der ihm gleich entgegenschrie: »Taschenbier hat einen Hund im Zimmer, einen bissigen Hund! Ein ganz gefährliches Tier!«
»Einen Hund? Das kann ich nicht glauben. Wo sollte denn das Tier herkommen?«, sagte Herr Daume. »Soll das ein Witz sein?«
Aber Leander Plattner hatte darauf bestanden, dass Martin Taschenbier einen Hund bei sich hatte, mindestens so groß wie eine Dogge und mindestens so gefährlich wie ein Wolf. Deshalb schaute Herr Daume nun in Martins Zimmer.

Martin saß auf seinem Bett, hatte ein Buch in der Hand und tat so, als ob er darin lesen würde. Der Sams-Hund lag gut versteckt unter der Decke des anderen Bettes und war nicht zu sehen.

Herr Daume kam ganz ins Zimmer und fragte: »Hier soll angeblich ein Hund sein. Stimmt das?«
Ehe Martin antworten konnte, machte es aus dem anderen Bett laut und deutlich »Wuff«.
»Was war das? Hier ist ja wirklich ein Hund«, rief Herr Daume. Er guckte sich im Zimmer um. »Wo ist das Tier? Hast du es unter dem Bett versteckt?«
Vom anderen Bett her machte es »Wuff, wuff!«, die Bettdecke wuchs in die Höhe und begann auf- und abzuhopsen.
Herr Daume stutzte, stürzte zum Bett und riss die Decke zurück: Der Sams-Hund hüpfte noch ein paarmal auf den Hinterbeinen, dann setzte er sich hin und grinste Herrn Daume übers ganze breite Hundemaul an.
Martin murmelte: »So ein Mist! Ich hätte *wünschen* sollen, dass der Sams-Hund sich gut versteckt!«
»Was … was ist das denn?«, fragte Herr Daume verblüfft.
»Ein Hund«, antwortete Martin wahrheitsgemäß.
»Das sehe ich!«, sagte Herr Daume. »Wo kommt der denn her?«
Was hätte Martin darauf antworten sollen? Die Wahrheit konnte und wollte er nicht sagen. Herr Daume hätte ihm sowieso kein Wort geglaubt. So sagte Martin nur: »Das ist mein Hund.«
»Lüg nicht!«, sagte Herr Daume. »Ich weiß genau, dass auf der Herfahrt kein Hund dabei war. Du willst mir doch nicht erzählen, dass euer Hund zweihundert Kilometer hinter dem Bus hergelaufen ist?«
»Nein«, antwortete Martin.
»Der ist dir also zugelaufen?«, fragte Herr Daume weiter.

Martin nickte. Irgendwie war ihm dieser Hund ja auch zugelaufen.
Herr Daume sagte: »Das geht auf keinen Fall. Hunde sind hier drinnen nicht erlaubt. Der Hund muss weg!«
Als der Sams-Hund das hörte, sprang er mit einem Satz auf Martins Bett und kuschelte sich an ihn.
»Hm. Das Tier scheint dich zu mögen«, sagte Herr Daume. Er schien unschlüssig zu sein, ob er Martin vielleicht doch erlauben könne den Hund zu behalten.
»Ja, er mag mich«, sagte Martin eifrig. »Er tut auch genau das, was ich ihm sage. Passen Sie mal auf, Herr Daume!«
Er drehte sich zum Sams-Hund um und sagte: »Bell dreimal!«
»Wuff, wuff, wuff!«, machte der Hund.
Herr Daume war beeindruckt.
»Das ist aber noch nicht alles!«, sagte Martin. Er befahl dem Hund: »Und nun mach einen Kopfstand!«
Der Hund sprang vom Bett, stützte sich auf dem Kopf und den Vorderbeinen ab und streckte nicht nur seinen Rumpf und die Hinterbeine zu einem tadellosen Kopfstand in die Höhe, er ließ dabei auch noch den Schwanz wie einen Propeller kreisen.
Aber das war leider zu viel des Guten. Herr Daume rief nämlich: »Das ist kein gewöhnlicher Hund! Den kannst du auf keinen Fall behalten. Der ist irgendwo aus einem Zirkus entlaufen oder gehört einem Hundedresseur. So ein Hund ist wertvoll. Den muss man sofort zurückbringen, der wird bestimmt schon dringend gesucht.«
»Wer sollte ihn denn suchen?«, fragte Martin.
»Na, sein Besitzer!«, antwortete Herr Daume. »Hinter dem

Haus ist ein Schuppen. Der steht leer, soviel ich weiß. Da werde ich den Hund vorläufig unterbringen. Und dann wird gleich die Polizei benachrichtigt. Die haben bestimmt schon eine Suchmeldung.« Er wandte sich dem Hund zu. »Komm her!«, befahl er. »Bei Fuß! Komm!«
Der Hund schüttelte den Kopf und machte: »Wuff, wuff!«
»Er sagt ›nein‹. Er will nicht mit, Sie hören es doch!«, sagte Martin.
»Ich höre nur, dass er bellt«, antwortete Herr Daume, löste seinen Gürtel, machte daraus eine Schlinge und streifte sie dem Sams-Hund schnell über den Kopf. »So, da haben wir dich schon an der Leine«, sagte er dabei. »Und nun kommst du mit!«
Aber der Sams-Hund weigerte sich mitzukommen und blieb sitzen, sosehr auch Herr Daume an der Gürtelleine zog.
»Nicht! Sie schnüren ihm ja den Hals zu!«, rief Martin und sprang vom Bett. »Steh auf, Sams, bevor Herr Daume dich noch erwürgt!«
Der Hund stand sofort auf, die Leine war nun nicht mehr so straff gespannt.
»Keine Angst, ich hätte ihn schon nicht erdrosselt«, sagte Herr Daume. »Es ist erstaunlich, wie gut er dir gehorcht. Wie hast du den Hund genannt?«
»Er heißt Samsi«, antwortete Martin.
»Samsi? Merkwürdiger Name.« Herr Daume befahl: »Komm her, Samsi! Bei Fuß!«
Aber der Hund dachte nicht daran, Herrn Daume zu gehorchen, und setzte sich wieder hin.
Herr Daume sagte zu Martin: »Sag du ihm doch mal, dass er aufstehen soll!«

Martin sagte: »Steh auf, Samsi! Wir gehen jetzt zusammen aus dem Zimmer.« Der Hund erhob sich und ging auf die Tür zu.
»Zusammen?«, fragte Herr Daume. »Eigentlich hast du ja Zimmerarrest.« Sofort setzte sich der Hund wieder hin. Herr Daume fuhr schnell fort: »Aber ich fürchte, allein kriege ich dieses Tier nicht nach draußen. Also komm mit!« Der Hund stand wieder auf. »Erstaunlich, geradezu unglaublich!«, rief Herr Daume. »Als ob der Hund jedes Wort verstehen würde. Hier, nimm du die Leine! Du darfst ihn führen.«
Nebeneinander gingen sie den Flur entlang. Leander Plattner guckte aus seiner Zimmertür. Als er sah, dass der Hund angeleint war, kam er auch in den Flur. Aber Herr Daume sagte gleich: »Plattner, geh in dein Zimmer zurück! Du hast Zimmerarrest, vergiss das nicht!«
»Wieso? Taschenbier darf doch auch raus!«, beschwerte sich Leander.
»Tu, was ich dir sage!«, befahl Herr Daume und Leander Plattner zog sich betont langsam und heftig maulend ins Zimmer zurück. Martin konnte es sich nicht verkneifen, dem Plattfuß im Vorbeigehen triumphierend die Zunge rauszustrecken.
Leander zischte ihm zu: »Das wirst du büßen!«, bevor er die Tür von innen schloss.
Als Herr Daume mit Martin und dem Hund aus der Hintertür trat, trafen sie dort auf die Mädchengruppe, die gerade mit Frau Ballhausen und Frau Rummler zum Skifahren aufbrechen wollte. Sofort waren Martin und sein Hund von einer Schar Mädchen umringt. Tina war auch dabei, wie Martin erfreut feststellte. »Ist das ein schöner Hund! Wo

kommt der denn her? Ist das ein Dalmatiner?«, fragten sie durcheinander. »Wie heißt er denn? Gehört er dir? Darf man den anfassen oder beißt er?«
Martin sagte stolz: »Er gehört mir, er beißt nicht und er heißt Samsi.«
»Red keinen Unsinn! Der Hund gehört nicht dir!«, sagte Herr Daume. »Komm mit, wir müssen weiter!«
Frau Ballhausen rief den Mädchen zu: »Und ihr müsst auch weiter! Los, kommt jetzt auch mit!«
Aber die Mädchen kümmerten sich weder um Herrn Daume noch um die beiden Lehrerinnen und drängten sich weiter um den Hund. Die meisten fragten, ob sie Samsi mal streicheln dürften. Martin antwortete: »Ja. Aber nicht alle auf einmal. Du darfst zuerst«, sagte er zu Tina und wurde ein bisschen rot dabei.
»Hallo, Samsi! Guter Hund!« Tina tätschelte den Hals des Tieres. »Wir haben auch einen Hund zu Haus«, erzählte sie Martin dabei. »Aber unsrer ist kleiner und hat nicht so schöne Flecken. Die sind ja gar nicht schwarz, die sind dunkelblau!«
Herr Daume wurde immer ungeduldiger. »Schluss jetzt!«, rief er und nahm Martin die Gürtelleine aus der Hand. »Ihr Mädchen geht jetzt los! Lasst den Hund in Ruhe!«
Frau Ballhausen griff ein. »Habt ihr nicht gehört, was Herr Daume gesagt hat? Lasst den Hund und geht jetzt sofort los!«
Die Mädchen gingen, der Sams-Hund legte sich in den Schnee.
»Fängt das schon wieder an!«, stöhnte Herr Daume. »Los, steh auf! Bei Fuß! Komm mit!«

Der Hund blieb liegen, sosehr Herr Daume auch an der Leine zerrte. Hilfesuchend wandte sich Herr Daume an Martin. »Bringst *du* es fertig, dass sich dieses Tier bewegt?«, fragte er.
»Auf, Samsi!«, befahl Martin. »Geh mit Herrn Daume!« Leise fügte er hinzu: »Erst mal wenigstens.«
Der Hund tippelte jetzt brav an Herrn Daumes Gürtelleine auf den Schuppen zu, Martin ging nebenher. Wenige Meter

vor dem Schuppen beugte sich Martin unauffällig zum Hund und flüsterte: »Ich wünsche, dass du wieder als Sams in meinem Zimmer bist.«
Im selben Augenblick verschwand erst ein großer blauschwarzer Punkt vom Fell des Hundes und dann der Hund selbst. Herr Daume ging noch zwei, drei Schritte weiter,

merkte dann, dass etwas nicht stimmte, drehte sich um, erstarrte und schrie überrascht auf: Er zog eine leere Leine hinter sich her.
»Wo … wo … ist denn der Hund?«, stammelte er. »Das … das gibt's doch gar nicht. Er kann sich nicht losgerissen haben, das hätte ich gemerkt. Außerdem müsste er dann doch irgendwo zu sehen sein. Der kann sich doch nicht in Luft aufgelöst haben. Das gibt's doch nicht! Taschenbier, wo ist denn der Hund?!«
Martin sagte: »Es gibt keinen Hund, Herr Daume.«
Das war die Wahrheit, denn es gab nun wirklich keinen Hund mehr. Jetzt gab es zwar wieder ein Sams, aber danach hatte Herr Daume ja nicht gefragt.
»Es gibt hier keinen Hund?«, fragte Herr Daume fassungslos.
»Keinen einzigen Hund«, bestätigte Martin.
»Red keinen Unsinn!«, sagte Herr Daume streng. »Wieso halte ich dann eine Leine in der Hand?«
»Das ist Ihr Gürtel, Herr Daume«, antwortete Martin.
»Ja, das stimmt. Mein Gürtel«, bestätigte Herr Daume und band ihn sich wieder um. »Aber ich kann mir diesen Hund doch nicht nur eingebildet haben«, sagte er dabei. »Bin ich denn verrückt geworden?«
»Nein, Sie sind nicht verrückt, Herr Daume. Ganz bestimmt nicht«, versicherte Martin, der langsam Mitleid mit dem verwirrten Herrn Daume bekam. Wer weiß, vielleicht hätte er ihm aus lauter Mitgefühl die ganze Samsgeschichte verraten, wenn Herr Daume nicht gleich so aufgebraust wäre.
»Was redest du da? Meinst du im Ernst, du als Schüler müsstest deinem Lehrer versichern, dass er nicht verrückt

ist?«, rief er. »Wieso bist du überhaupt hier draußen? Habe ich dir nicht Zimmerarrest verordnet? Auf der Stelle gehst du in dein Zimmer!«
»Gern, Herr Daume«, sagte Martin, ging zum Haus zurück und rannte die Treppe hoch.
Ob das Sams wieder in seiner alten Gestalt oben im Zimmer wartete?
Hoffentlich ist es nicht ärgerlich, dachte Martin, weil ich es in einen Hund verwandelt habe ohne es vorher um Erlaubnis zu bitten.

8. KAPITEL
Sams-Martin

Leander Plattner hatte seine Zimmertür nur angelehnt. Offenbar wollte er mitkriegen, was weiter mit Martin und dem Hund geschah. Als Martin auf dem Rückweg an Leanders Zimmer vorbeiging, guckte der gleich heraus und fragte höhnisch: »Na, bist du dein Hundchen losgeworden? Hat man ihn dir weggenommen, deinen kleinen Fifi?«
Martin sagte nur: »Was heißt hier ›Hundchen‹? Du hast ganz schön Angst gehabt vor diesem kleinen Fifi!«
»Angst? Ich? Kein bisschen!«, behauptete Leander.
Martin fragte: »So? Und wer hat vorhin laut um Hilfe geschrien und ist vor ihm davongerannt, so schnell er konnte?«
Dann rannte er aber auch davon, so schnell er konnte, und machte, dass er in sein Zimmer kam. Denn Leander Plattner stürmte mit zornrotem Gesicht aus der Tür und hätte sich bestimmt auf Martin gestürzt, wenn er ihn noch erwischt hätte.
Das Sams saß auf dem Bett, als Martin ins Zimmer gerannt kam und die Tür hinter sich zuschlug.
»Hallo, Sams«, sagte Martin und ließ sich gleich auf den Stuhl plumpsen. Er musste erst wieder zu Atem kommen. »Ist alles gut gegangen?«
»Wuff«, antwortete das Sams.
»Musst du jetzt immer bellen und kannst nicht mehr normal reden?«, fragte Martin erschrocken.
»Wuff, wuff«, antwortete das Sams.

»Zweimal bellen bedeutet ›nein‹«, übersetzte Martin. »Du musst also nicht bellen. – Aber du bellst doch!«
»Nur aus alter Gewohnheit«, sagte das Sams und grinste. »Aber ich werde es gleich abstellen, das Bellen. Weil man nämlich keine Reime bellen kann! Und schon gar nicht so schöne Lieder wie dieses hier:

Beim Bellen
schnellen
Forellen
aus hellen Wellen.
Doch die Gesellen
bestellen
Sardellen.«

Martin war erleichtert. »Ich dachte schon, du wärst vielleicht sauer, weil ich dich in einen Hund verwandelt habe«, sagte er.
»*Du* hast mich nicht verwandelt, das habe ich schon selbst getan«, stellte das Sams richtig. »Du hast nur gewünscht.«
»Fandest du es schlimm, ein Hund zu sein?«, fragte Martin.
»Erst war es ein bisschen ungewohnt. Aber dann hat es richtig Spaß gemacht«, sagte das Sams. »Besonders, als mich dieses Mädchen gestreichelt und am Kopf gekrault hat.«
»Das war Tina! Wie findest du sie denn? Tina ist doch nett, findest du nicht? Richtig nett. Und freundlich. Sie hat sich auch gleich mit mir unterhalten. Hast du ihren Skianzug gesehn? Rot mit blauen Taschen«, sagte Martin. »Der sah doch gut aus, nicht? Sie hatte auch wieder diesen kleinen Zopf an der Seite, mit dem roten Band. Und der Ohrring, hast du den auch gesehn?«
Statt zu antworten, ließ sich das Sams aufseufzend aufs

Kopfkissen sinken, drehte die Augen zur Zimmerdecke und tat so, als sei es von Martins Redeschwall völlig geschafft. Martin sagte: »Jetzt bist du genau wie Roland Steffenhagen. Der hört mir auch nie richtig zu, wenn ich von Tina rede. Weißt du überhaupt, was ich gerade gesagt hab?«

»Selbstverständlich weiß ich das!«, antwortete das Sams und setzte sich wieder auf. »Tina hat einen blauen Schlafanzug mit roten Taschen, ist an der Seite mit einem Ohrring zusammengebunden, hat sich gleich nett mit mir unterhalten und das ist freundlich.«

Nun war es Martin, der nicht richtig zuhörte. »Ja, sie ist freundlich«, wiederholte er. Und leise fügte er hinzu: »Als sie dich gestreichelt hat, wäre ich am liebsten auch ein Hund gewesen.«

»Du kannst dir ja wünschen, dass du ein Hund bist«, schlug das Sams vor. »So ein Wunsch würde mindestens zehn Minuten halten.«

»Und nach zehn Minuten?«, fragte Martin.

»Würde der Wunsch allmählich nachlassen und du würdest langsam wieder zu Martin werden«, sagte das Sams.

Martin überlegte. »Nein, das werde ich nicht wünschen. Dann sperrt mich Herr Daume womöglich in den Schuppen. Tina ist jetzt sowieso beim Skifahren«, sagte er. »Und außerdem soll sie ja auch nicht irgendeinen Hund mögen, sondern mich.«

Er versuchte sich im Spiegel über dem Waschbecken zu betrachten. »Was meinst du: Könnte sie mich wohl gut finden?«, fragte er dabei das Sams.

Der Spiegel war anscheinend für größere Menschen gedacht und deshalb ziemlich hoch angebracht. Martin jeden-

falls sah nur seine Haare und seine Stirn. Erst als er sich auf Zehenspitzen stellte, konnte er wenigstens seine Augen und einen Teil seiner Nase angucken.
»Ich glaube nicht, dass sie mich mögen würde«, sagte er. Er hörte auf, sich im Spiegel zu begutachten, und setzte sich neben das Sams. »Mädchen mögen lieber sportliche Typen wie Jens Uhlmann.«
»Stimmt nicht! Deine Mutter mag deinen Vater ja auch. Und der ist noch weniger sportlich als du«, tröstete ihn das Sams. »Ich mag die Taschenbiers jedenfalls lieber als irgend so einen Stenz Puhlmann.«
»Ich bin nicht sehr groß. Ich kann mich nicht mal richtig im Spiegel angucken«, sagte Martin. »Findest du, dass ich zu klein bin?«
»Du bist so groß wie ich, also bist du genau richtig«, antwortete das Sams.
»Schade, dass man sich nicht selber sehen kann«, sagte Martin. »Ich würde mich gar zu gerne mal angucken.«
»Wünsch dir doch einen größeren Spiegel!«, schlug das Sams vor.
»Ich meine doch, *richtig* sehen. Zum Beispiel auch mal von hinten oder von der Seite. Wie wenn ein anderer *ich* wäre…« Martin stockte. Ihm kam plötzlich eine wahnwitzige Idee. Ob das wohl ginge? Ob er sich das wünschen könnte? Bei einem derart ausgefallenen Wunsch musste er aber das Sams vorher fragen. Wahrscheinlich war es einer von den unmöglichen.
»Ich hätte einen Wunsch«, fing Martin an. »Aber ich weiß nicht, ob du den erfüllen könntest. Darum sag ich's dir vorher.«

»Meinst du einen Spiegel?«, fragte das Sams. »Das ist extrem bequem und kein Problem. Du musst mir nur sagen, wie groß du ihn haben willst: Zwei Meter zehn oder drei Meter vier, wünsch dir den Spiegel und schon steht er hier!«

»Ich hab mir aber einen lebendigen Spiegel vorgestellt«, sagte Martin. »Ginge das wohl, wenn ich wünschen würde, dass du genauso wie ich aussiehst? Dann könnte ich mich von allen Seiten angucken.« Jetzt war es heraus. Martin wartete gespannt, was das Sams antworten würde.

»Genau wie du?«, fragte das Sams und lachte. Die Idee schien ihm Spaß zu machen. »Das Sams als Martin Taschenbier, das wäre wirklich wunderbar witzig!«

»Es wäre also kein unmöglicher Wunsch?«, fragte Martin.

»Aber nein«, sagte das Sams. »Der würde sogar ein bisschen länger halten als der Hundewunsch. Mindestens eine halbe Stunde, wenn nicht sogar dreißig Minuten. Weil das Sams und der Martin sich viel, viel ähnlicher sind als das Sams und so ein Bellhund.«

»Ähnlicher? Du siehst doch völlig anders aus als ich mit dieser Nase und den roten Haaren«, stellte Martin fest. »Ich finde nicht, dass wir uns ähnlich sehen.«

»Äußerlich vielleicht nicht, aber innerlich«, sagte das Sams.

»Innerlich?« Martin schüttelte den Kopf. »Erst recht nicht. Denn du bist frech und witzig und hast kein bisschen Angst vor irgendwas.«

»Stimmt«, bestätigte das Sams. »Und genauso bist du auch, du weißt es nur nicht. Jedenfalls bin ich dir ähnlicher als irgendeinem anderen. Los, wünsche es, du wirst es gleich sehn!«

Martin sagte: »Ich wünsche, dass das Sams genauso aussieht wie ich.«
Im selben Augenblick standen sich zwei Martin Taschenbier im Zimmer gegenüber und starrten sich an.
»Na?«, fragte der Sams-Martin. »Wie findest du dich?«
»Das soll ich sein?« Martin ging um seinen Doppelgänger herum. »Stehe ich wirklich so krumm? Lass doch die Schultern nicht so hängen!«
»Ich muss sie hängen lassen«, antwortete Sams-Martin. »Du hast gewünscht, dass ich aussehe wie du.« Er fing an im Zimmer auf und ab zu gehen.
»Du wackelst beim Gehen wie eine Ente!«, stellte Martin fest.
»Du meinst wohl, *du* wackelst!«, verbesserte der andere Martin.
»Bleib mal stehen!«, rief Martin. Er betrachtete den anderen

erst aus einiger Entfernung, dann von ganz nah. »Du siehst *doch* nicht genauso aus wie ich«, sagte er triumphierend. »Meine Haare fallen nach der anderen Seite.«
»Tun sie nicht!«, antwortete Sams-Martin. »Du kennst dich nur aus dem Spiegel und da sieht man alles seitenverkehrt.«
»Aber etwas ist doch anders bei dir«, sagte Martin. »Ich habe keine blauen Punkte im Gesicht.«
»Wünsch sie mir einfach auf den Bauch«, schlug Sams-Martin vor. »Sie wirken da genauso wünschig wie im Gesicht.«
»Keine schlechte Idee. Ich wünsche, dass die Punkte vom Sams nicht mehr im Gesicht sind, sondern auf seinem Bauch.« Damit waren die blauen Punkte aus dem Gesicht des anderen Martin verschwunden. Der echte Martin ging noch einmal um den anderen herum. »Deine Frisur steht mir ja ganz gut«, beurteilte er sich. »Die kann man lassen. Aber meine Haltung ist ja schlimm! Steh doch mal gerade! Hm, sieht viel besser aus. Ich bin dann auch gleich ein bisschen größer. Jetzt geh bitte noch mal auf und ab!«
Der andere Martin tat ihm den Gefallen und marschierte im Zimmer hin und her.
»Gehe ich wirklich so watschelig?«, fragte Martin. »Mal sehn, ob ich nicht anders gehn kann. Guck mal!«
Nun blieb Sams-Martin stehen und schaute zu, wie Martin auf und ab ging. »Sehr gut«, lobte er Martin. »So ist's schon besser. Nicht mehr wie eine Ente, eher wie eine Gans. Gans gut, gewissermaßen.«
»Pass auf, was du sagst!«, rief Martin lachend und warf mit dem Kopfkissen nach dem anderen Martin. Der duckte sich und das Kissen flog über ihn hinweg. Beide rannten zum

Kissen, beide bekamen es zu fassen, zogen daran und begannen darum zu raufen. Da beide gleich stark waren, tobte der Kampf eine Weile unentschieden hin und her. Das Kissen fiel zu Boden und blieb liegen, bis ihm einer der beiden Martins schließlich einen Tritt versetzte und es damit unters Bett beförderte.

»He, hol das Kissen wieder, du hast es weggekickt!«, sagte Martin.

»Ich? Du hast es weggetreten!«, sagte der andere Martin.

Martin schlug vor: »Wir knobeln: Papier, Schere, Stein. Wer verliert, muss unters Bett kriechen und das Kissen holen. Einverstanden?«

»Einverstanden«, sagte der andere Martin.

Beide winkelten erst den rechten Unterarm an, machten ihn dann gleichzeitig gerade und guckten auf die Hand des anderen. Martin hatte sie zur Faust geballt, das bedeutete Stein. Sams-Martin hielt alle fünf Finger gestreckt das bedeutete Papier.

»Gewonnen! Papier wickelt den Stein ein, du musst das Kissen holen«, sagte Sams-Martin.

Gerade als Martin unters Bett gekrochen war, klopfte es kurz und laut an die Zimmertür und Herr Daume kam schon wieder mal herein. Martin blieb unter dem Bett liegen und bewegte sich nicht.

Herr Daume sagte: »Taschenbier, ich war vorhin ein bisschen unfreundlich zu dir, das war nicht so gemeint. Diese merkwürdige Sache mit dem Hund war schuld. Sie hat mich ziemlich nervös gemacht.« Er guckte sich im Zimmer um. »Das Tier ist nicht wieder aufgetaucht, oder?«

Martin unter dem Bett hielt vor Aufregung die Luft an.

»Das Tier ist nicht hier«, antwortete der andere Martin. »Es ist auch nicht getaucht, weder auf noch ab. Denn zum Tauchen hat der Hund jetzt im Winter keinen Grund. Das Eis ist viel zu kalt.«
»Deine Witze kannst du dir sparen«, sagte Herr Daume. »Du darfst übrigens wieder zu den anderen. Der Zimmerarrest ist aufgehoben. Dem Plattner habe ich auch die Strafe erlassen, der ist schon unten. Also, zieh deine Jacke an und komm gleich mit! Aber wehe, ihr fangt unten wieder an zu raufen.«
»Also, kann ich vielleicht erst ...« Der andere Martin suchte nach Worten und guckte dabei unauffällig zum Bett hin. »Ich meine, Sie könnten vielleicht vorsichtig vorausgehen und ich nach satten siebzehn Sekunden nachsichtig nachkommen und ...«
»Rede nicht so affig«, sagte Herr Daume ärgerlich. »Komm jetzt mit!«
»Mit nach unten? Na gut. Nach unten, na gut, doch nie ohne Hut«, sagte der andere Martin, setzte Martins Mütze auf und folgte Herrn Daume nach unten.
Kaum hatte sich die Tür hinter den beiden geschlossen, kroch Martin, so schnell er konnte, unter dem Bett hervor und rannte zum Fenster. Unten war keiner zu sehen. Das Fenster ging nach hinten hinaus, die anderen aus der Klasse waren wohl vor dem Haus.
Martin öffnete seine Tür und lauschte. Nichts war zu hören. Er huschte über den Flur, ging dort vor einem Fenster in die Knie und spähte über die Fensterkante. Unter ihm waren die Jungen aus seiner und der Parallelklasse gerade damit beschäftigt, einen riesigen Schneemann zu bauen. Der Rumpf

stand schon und ragte fast zwei Meter in die Höhe. Einige Schüler klebten ihm dicke Schneerollen als Arme an die Seite, andere versuchten eine große Kugel aus Schnee zu formen. Das sollte wohl der Kopf werden.
Leander Plattner stand bei ihnen. Martin öffnete das Fenster einen kleinen Spalt breit. Jetzt konnte er die anderen nicht nur sehen, er konnte auch hören, was unter ihm gesprochen wurde.
»Der Daume holt gerade den Taschenbier«, sagte einer der Jungen zu Leander. »Hast du schon Angst, dass er dich wieder flach legt, Plattfuß?«
»Ihr wisst genau, dass ich nur gestolpert und ausgerutscht bin«, sagte Leander. »Ihr werdet schon sehn, wie ich den beim nächsten Mal fertig mache.«
»Da sind sie schon«, sagte Jens Uhlmann.
Unten kamen Herr Daume und der falsche Martin aus der Vordertür.
»Hallo, Taschenbier, schön, dass du wieder da bist!«, sagte Basilius Mönkeberg, der wohl ein schlechtes Gewissen hatte, weil er Martin nach der Rauferei verpetzt hatte.
»Ja, das ist sehr schön gut«, bestätigte der Martin unten, formte einen dicken Schneeball und kickte ihn in die Luft. Der Ball beschrieb einen hohen Bogen und landete auf der Schulter von Herrn Daume, wo er zerplatzte.
»Wer war das?«, fragte Herr Daume.
»Der Schneeball«, antwortete Sams-Martin.
Herr Daume kam nicht mehr dazu, Martin zur Rede zu stellen, denn in diesem Augenblick rief Frau Christlieb aus dem Fenster des Speisesaals: »Herr Daume! Herr Daume, kommen Sie bitte mal herein!«

»Warum? Was ist denn?«, fragte Herr Daume.
»Die Teller sind wieder da!«, rief Frau Christlieb.
Frau Felix tauchte neben ihr am Fenster auf und ergänzte: »Und die Tassen haben wir auch gefunden.«
»Sind wieder da?«, fragte Herr Daume überrascht. »Wo waren sie denn nun?«
»Wissen Sie es wirklich nicht?«, fragte Frau Felix. »Dann hat sich wohl Ihr Kollege den Scherz erlaubt.«
»Oder eine von den zwei Lehrerinnen, nicht wahr?«, fügte Frau Christlieb hinzu.
»Scherz erlaubt? Was reden Sie für einen Unsinn!«, rief Herr Daume.
»Dann kommen Sie doch mal rein und gucken unter den

Lehrertisch!«, sagte Frau Christlieb. Frau Felix nickte nachdrücklich, dann zogen sich beide vom Fenster zurück.
»Lehrertisch? Was soll das!«, murmelte Herr Daume. Zu den Schülern sagte er: »Ihr macht ohne mich weiter. Beeilt euch mit eurem Schneemann! Die Mädchen wollen nach dem Mittagessen eine Schneefrau daneben bauen.« Dann rannte er ins Haus.
Leander Plattner hatte sich in der Zwischenzeit mit einer Hand voll Schnee von hinten an Sams-Martin herangeschlichen. Kaum war Herr Daume im Haus verschwunden, rief er: »Hier will jemand gewaschen werden!«, und drückte Martin den Schnee ins Gesicht.
Aber dieser Martin Taschenbier rief nicht etwa mit weinerlicher Stimme, dass dies eine große Gemeinheit sei und Leander das bitte lassen solle, nein, er schien es zu genießen. »Oh, eine wirklich wundervolle Waschung, wie schön. Gut für den Kreislauf!«, rief er, nahm selbst eine Hand voll Schnee, warf sie in die Luft, fing den Schnee mit dem Gesicht auf und verrieb ihn mit den Händen. »Soll dein Kreislauf eifrig kreisen, musst du dich mit Schnee beschmeißen«, reimte er dabei. Zu den anderen sagte er: »Versucht's doch auch mal. Ist echt erfreulich erfrischend. Vorausgesetzt, ihr traut euch!«
Die anderen Schüler lachten über Martins Vers. Man sah, dass sie ihn ausgesprochen witzig fanden. Einer wandelte ihn gleich ab. Er rief: »Soll dein Kreislauf eifrig kreisen, muss ich dich mit Schnee beschmeißen«, und warf seinem Nachbarn eine Hand voll Schnee ins Gesicht. Dieser Nachbar war zufällig Leander Plattner. Der war doppelt verärgert. Einmal, weil er eine Ladung Schnee ins Gesicht be-

kommen hatte, zum andern, weil sein Angriff auf Martin Taschenbier so wenig erfolgreich verlaufen war.
»Ha, ha, ha! Kreislauf kreisen«, sagte er missmutig. »Taschenbier ist wohl stolz, weil ihm ein Spruch eingefallen ist. Reimen kann ich auch: Taschenbier, Flaschenbier, Taschenbier, Flaschenbier!«
Sams-Martin sagte: »Dieser Witz ist so alt, dass schon keiner mehr darüber gelacht hat, als ein gewisser Plattfuß noch in die Windeln gepinkelt hat!«
Leander kam wütend auf Sams-Martin zu und boxte nach ihm. Sams-Martin duckte sich, Leander schlug über ihn hinweg in die Luft und verlor durch den eigenen Schwung fast das Gleichgewicht.
»Wie ich sehe, bevorzugst du eine andere Methode deinen Kreislauf kreisen zu lassen. Sehr interessant«, sagte Sams-Martin. »Plattfuß will die Luft verhauen um den Kreislauf aufzubauen.«
»Die Luft verhauen! Plattfuß verhaut die Luft!«, riefen die anderen lachend.
Das brachte Leander nur noch mehr in Fahrt. Wieder versuchte er nach Sams-Martin zu schlagen, dann noch einmal und noch einmal. Der wich jedes Mal geschickt einen Schritt nach hinten aus. Nun stand er aber unmittelbar vor dem Rumpf des Schneemanns und konnte nicht weiter zurück. Das versuchte Leander auszunutzen und rannte mit gesenktem Kopf gegen Taschenbier an. Sams-Martin machte einen Schritt zur Seite, Leanders Kopf schlug eine Beule in den Bauch des Schneemanns, dieser kippte, stürzte nach hinten, und ehe Leander überhaupt begriff, was geschah, lag er schon bäuchlings auf dem umgestürzten Schneemann.

Sams-Martin tippte ihm auf den Rücken und sagte: »Entschuldige mich für einen Augenblick, ja? Ich hab nur was vergessen. Ich bin sofort wieder da. Nur ein Momentchen! Du kannst solange gemütlich liegen bleiben und dich erholen, ja?«
Dann raste er zum Haus zurück, durch die Vordertür und die Treppen hoch. Der echte Martin hatte alles mitbekommen, lief ihm im Flur entgegen und fragte aufgeregt: »Was ist? Hält der Wunsch nicht mehr? Wirst du jetzt wieder ein Sams? Soll ich jetzt runtergehn?«
»Nein, nein«, antwortete der andere Martin. »Du sollst nur schnell wünschen, dass ich stärker bin als dieser Plattfuß!«
»Ich wünsche, dass du dreimal so stark bist wie Leander Plattner«, sagte Martin.
Der andere Martin kratzte sich kurz am Bauch, rief: »Danke, Martin!«, und rannte wieder die Treppe hinunter.
Vor der Tür wurde er schon von Leander Plattner erwartet. Aber diesmal wich Sams-Martin nicht Leanders Schlag aus, er fing den Boxhieb nur lässig mit der Hand auf und hielt Leanders Faust fest. Sosehr Leander auch zerrte, Sams-Martin ließ die Hand nicht los. Deshalb versuchte Leander nach Sams-Martin zu treten. Der ließ Leanders Hand los, griff nach dessen Bein, fasste es unten beim Fuß, hob es in die Höhe, betrachtete eingehend den Schuh und sagte: »Schuhgröße 42, schätze ich.«
Leander hüpfte auf einem Bein und schlug um sich, traf dabei aber höchstens seinen eigenen Unterschenkel.
Sams-Martin ließ den Fuß nicht los. Und während Leander auf einem Bein hopste und mühsam versuchte das Gleichgewicht zu halten, begann Sams-Martin den Ansager bei

einer Modenschau zu spielen. Er hielt die Faust wie ein Mikrofon vor den Mund und rief: »Meine sehr verehrten Damen und Herren! Hier sehen Sie einen sehr gut verarbeiteten Skischuh aus glattem, schwarzem Leder mit aufgesetzten roten Applikationen, metallverstärkten Schuhspitzen und einer Öffnung am oberen Ende des Schuhs. In dieser Öffnung steckt zur Zeit ein grün gemusterter Skisocken. In diesem Socken wiederum befindet sich der Fuß eines Jungen, der Leander Plattner heißt und so lange hier herumhüpfen wird, bis er verspricht, dass er in Zukunft Martin Taschenbier in Frieden lässt und nie mehr nach ihm schlägt.«

»Lass mich los! Taschenbier, du sollst mich loslassen!«, schrie Leander Plattner.

»Erst versprichst du es vor allen aus der Klasse«, sagte Sams-Martin.

»Bitte, lass mich los!«, bat Leander.

»Das klingt schon besser«, sagte Sams-Martin. »Es ist aber immer noch nicht das, was ich hören will.«
»Na gut, na gut. Ich verspreche es!«, rief Leander.
»Was genau versprichst du?«, fragte Sams-Martin.
»Ich verspreche, dass ich dich nicht mehr schlage und dass ich dich in Ruhe lasse«, sagte Leander.
»Und was ist mit Zwicken, Kneifen, An-den-Haaren-Ziehen oder Stolpernlassen?«, fragte Sams-Martin.
»Auch nicht. Wirklich nie mehr!«, versprach Leander. »Und jetzt lass mich endlich los!«
»Gut. Ihr habt es alle gehört«, sagte Sams-Martin und ließ Leanders Fuß los. Alle Umstehenden klatschten Beifall und klopften Sams-Martin anerkennend auf die Schulter. Aber der fasste sich an die Nase, rief: »Ich muss sofort noch mal verschwinden! Augenblick! Lasst mich durch! Schnell!«, und stürmte durch die Tür ins Haus. Schon während er die Treppe hochrannte, wurde seine Nase immer breiter und länger, im Flur ragte bereits eine Rüsselnase aus dem Martingesicht, seine braunen Haare wuchsen zusehends und wechselten die Farbe und als er schließlich oben beim echten Martin angelangt war, war aus dem zweiten Martin wieder das Sams geworden.
»Schnell ins Zimmer, bevor mich einer so sieht!«, rief das Sams und zog Martin mit sich. »Der Wunsch hat schneller nachgelassen, als ich dachte. Ich hab's an meiner Nase gespürt. Wenn die anfängt zu jucken, ist es allerhöchste Zeit. Was machen wir jetzt? Du musst sofort zu den andern, sonst merken die was! Mach schon!«
Ohne lange zu überlegen, rannte Martin nach unten. Als er aus der Tür trat, umringten ihn alle aus seiner Klasse. »Bra-

vo, Martin! Das hast du gut gemacht! Hätte ich dir gar nicht zugetraut!« Alle redeten durcheinander. »Wo rennst du eigentlich immer hin? Wieso wetzt du so schnell ins Haus? Wo warst du denn, Martin?«
»Ich, also …« Martin überlegte nur kurz, dann war ihm schon eine Ausrede eingefallen. »Ich hab mir die Blase ein bisschen erkältet und muss … also, ich *musste* eben. Versteht ihr?«
»Er musste mal! Das soll dem Martin erst mal einer nachmachen«, rief Jens Uhlmann lachend. »Kämpft mit dem Plattfuß und geht zwischendurch in aller Ruhe aufs Klo!«
Alle lachten mit ihm. Selbst Leander Plattner, der abseits von den anderen stand, musste unwillkürlich grinsen.
Martin lachte mit den anderen. Er fühlte sich großartig. Sie haben »Martin« zu mir gesagt, dachte er. Sogar Jens Uhlmann hat mich »Martin« genannt. Einfach »Martin«! Sonst sagen sie immer nur »Taschenbier« zu mir. Hat sich fast gereimt: Taschenbier zu mir. Wenn ich das Sams wäre, würde ich jetzt wahrscheinlich dichten: »Man sagt Martin jetzt zu mir, keiner mehr sagt Taschenbier.« – Genau!

Laut sagte er: »Ich finde, wir sollten den Schneemann wieder aufstellen, bevor Herr Daume zurückkommt.«
»Martin hat Recht«, sagte Jens Uhlmann. »Fasst mit an! Wir stellen ihn wieder hin, bevor Herr Daume was merkt und Plattner und Martin noch einmal Zimmerarrest kriegen.«
Alle fassten mit an, auch Leander Plattner, und nach kurzer Zeit stand der Schneemann wieder aufrecht. Wenig später hatte er sogar einen dicken Kugelkopf mit Augen aus Steinen und einer Möhre als Nase.
»So, der ist fertig. Jetzt müssen wir eigentlich Richtfest feiern«, sagte einer aus der Klasse. »Martin, weißt du nicht noch so einen witzigen Spruch wie vorhin den mit dem Kreislauf?«
»Ich glaube nicht«, sagte Martin. »Nein.«
»Denk doch mal nach, dir fällt bestimmt was ein«, sagte der Junge und stupste Martin auffordernd in die Seite.
Martin dachte nach. »Lieber einen Schneemann bauen …«, fing er an.
»Ja und? Weiter!«, forderten die anderen.
»Lieber einen Schneemann bauen …«, fing Martin noch

einmal an. Dann hatte er es. »Lieber einen Schneemann bauen als Löcher in die Luft zu hauen.«
In diesem Augenblick kam Herr Daume zurück.
»Herr Daume, wir haben einen Richtspruch für unseren Schneemann!«, rief man ihm entgegen. »Wollen Sie mal hören: Lieber einen Schneemann bauen als Löcher in die Luft zu hauen. Ist doch gut, was? Hat Martin Taschenbier erfunden.«
»Jaja, sehr gut.« Herr Daume wirkte etwas geistesabwesend und schien gar nicht richtig zuzuhören. »Ich muss jetzt erst mal mit den Kollegen sprechen«, sagte er dann. »Es gab Probleme im Speisesaal. Ihr könnt auf eure Zimmer gehn und euch trockene Sachen anziehn, wenn ihr wollt. Wir treffen uns dann in einer halben Stunde unten beim Mittagessen.«
»Herr Daume, was war denn jetzt mit den Tassen und Tellern? Sind sie wieder da?«, wollte Jens Uhlmann vorher noch wissen.
»Sie sind wieder da. Aber fragt mich bitte nicht, wo sie waren«, sagte Herr Daume nervös. »Ich drehe sonst noch durch. Ich weiß nicht, was hier vorgeht. Erst die Sache mit dem Hund und nun die Teller!«
»Hund? Welcher Hund denn? Was war denn mit dem Hund?«, fragten alle. »Gibt es hier einen Hund?«
»Nein, es gibt eben keinen und genau das ist das Problem!«, rief Herr Daume. »Und nun fragt nicht weiter, sondern macht, dass ihr in eure Zimmer kommt!«
Martin ging mit den anderen nach oben. Im Flur blieben sie noch ein bisschen stehen und unterhielten sich über Herrn Daume und seine merkwürdigen Bemerkungen. »Er scheint

ein bisschen mit den Nerven runter zu sein«, sagte Jens Uhlmann. »Was er nur hat?«
Martin hätte es ja erklären können. Aber dazu hätte er die Sache mit dem Sams verraten müssen. Und sosehr er sich auch freute, dass die anderen aus der Klasse plötzlich ganz anders zu ihm waren und ihn mit seinem Vornamen anredeten: Das Sams würde für immer sein Geheimnis bleiben, das er mit niemandem teilen wollte. Nicht einmal mit Tina. Oder vielleicht doch? Plötzlich war sich Martin gar nicht mehr so sicher.

9. KAPITEL
Martin traut sich

Zum Mittagessen gab es Gulasch mit Nudeln und Gemüse. Martin kam wieder mal als einer der Letzten in den Speisesaal, er hatte oben zu lange mit dem Sams herumgealbert. Die Kinder standen mit ihren Tellern in einer langen Schlange fast bis zur Tür. Martin nahm sich auch einen leeren Teller und reihte sich ein.

Frau Christlieb und Frau Felix teilten das Essen aus. Frau Felix füllte die Teller, Frau Christlieb reichte sie weiter. Fiel die Portion auf einem der Teller mal ein bisschen kleiner aus, gab Frau Christlieb den Teller an Frau Felix zurück und sagte: »Gib ruhig noch einen Schlag zu, Corinna!«, oder »Etwas mehr Mischgemüse bitte!«

Frau Felix antwortete dann: »Wenn du meinst, Bärbel«, »Wird gemacht!«, oder »Kein Problem«, fuhr mit dem Schöpflöffel noch einmal in einen der Töpfe und vergrößerte die Essensportion um einen Klecks Gemüse oder Gulasch. Dann erst reichte Frau Christlieb den Teller weiter. Das war ganz gewiss ein sehr gerechtes System, kostete allerdings auch viel Zeit.

Martin hatte etwa zwei Minuten am Ende der Schlange gestanden und war gerade mal drei Meter weiter vorgerückt, da kamen Sophie und Tina herein. Sie unterhielten sich, während auch sie einen leeren Teller holten und sich ein-

reihten. Sophie stand hinter Martin, Tina am Ende der Schlange. Martin guckte unauffällig zu Tina. Sie hatte sich nach dem Skifahren wohl noch umgezogen und trug jetzt einen gelbgrün gestreiften Pullover. Als er sich nach weiteren zwei Minuten und weiteren drei Metern wieder umguckte, stand Tina hinter ihm und Sophie an letzter Stelle. Ihm wurde ganz heiß. Ob sie mit ihrer Freundin den Platz getauscht hatte, weil sie plötzlich mitgekriegt hatte, dass er vor ihnen stand? Das konnte nicht sein, das wäre zu schön. Nein, es war wahrscheinlich nur ein Zufall.
Nun stand sie also hinter ihm und hatte seinen Rücken vor sich. Martin hob den Kopf und versuchte sich kerzengerade zu halten, wie er es mit dem Sams-Martin geübt hatte. Wie schade, dass ich heute Morgen wieder den roten Pulli angezogen habe, dachte er, ich hätte lieber den grünen mit der gelben Schrift auf dem Rücken nehmen sollen. Sie scheint diese Farben zu mögen.
Wenn ich jetzt das Sams wäre oder das Sams wieder der Martin Taschenbier, würde Sams-Martin wahrscheinlich überhaupt nichts dabei finden, sich umzudrehen, einen Witz zu machen und ein Gespräch mit Tina anzufangen. Was würde der vielleicht sagen? Bestimmt würde er irgendeinen Reim erfinden. »Es dauert heute wieder lange wegen dieser langen Schlange« oder »Immer kürzer wird die Schlange, deshalb dauert's nicht mehr lange.« Ob das Tina gefallen würde? Wahrscheinlich würde sie es überhaupt nicht witzig finden, sondern nur albern. Was würde sie nicht albern finden? Wenn Sams-Martin einfach sagen würde »Hallo!« oder »Mahlzeit!« oder so was Ähnliches. Eigentlich, dachte Martin, müsste ich das doch auch schaffen. Ich werde mich

jetzt also umdrehen. Wenn sie mich anguckt, sage ich was, wenn sie irgendwo anders hinschaut, sage ich nichts.
Martin drehte sich zu Tina um. Sie guckte ihn an, lächelte, und dann sagten beide gleichzeitig: »Hallo!«
»Hallo«, sagte Martin noch einmal. Was könnte er als Nächstes sagen? Wie dumm, dass er sich nur dieses »Hallo« zurechtgelegt hatte. Was würde er sagen, wenn zum Beispiel Roland Steffenhagen hinter ihm stünde? Etwas ganz Normales, was man halt so redet. Martin räusperte sich und sagte: »Es dauert ziemlich lange mit dem Essen, findest du nicht?«
»Ja. Hoffentlich reichen diesmal die Teller.«
»Die Teller? Wieso?«, fragte Martin.
»Na, heute Morgen haben doch auch welche gefehlt«, sagte sie.
»Ach, das meinst du. Die sind inzwischen wieder da. Frau Christlieb hat sie unter dem Lehrertisch gefunden.«

»Lehrertisch?«, wiederholte Tina. »Du machst Witze, oder?«
»Nein, es stimmt. Frag die andern.«
Tina drehte sich zu ihrer Freundin um. »Hast du das gehört, Sophie? Die Teller von heute Morgen waren angeblich unter dem Lehrertisch. Glaubst du das?«
»Das würde ich Frau Ballhausen glatt zutrauen«, sagte Sophie. »Wer mir eine Fünf in Handarbeit gibt, ist auch fähig Teller zu klauen.«
»Hat sie dir eine Fünf verpasst?«, fragte Martin mitfühlend.
»Ja, hat sie«, sagte Sophie. »Nur weil ich an meinem Strickhandschuh aus Versehen den Daumen vergessen hab.«
Martin lachte. Tina fragte: »Was macht denn dein Samsi? Ist er oben bei dir im Zimmer?«
»Samsi?« Martin erschrak. Wusste sie etwas vom Sams? »Was meinst du damit?«
»Na, dein Hund, den ich heute gestreichelt habe! Der mit den Punkten«, sagte Tina.
»Den meinst du!« Martin war gleichzeitig erleichtert und verlegen. Was sollte er ihr erzählen? »Der Hund ist jetzt da, wo er hergekommen ist.« Das war nicht gelogen. »Herr Daume erlaubt keine Tiere hier im Schullandheim.«
»Ach, dann war das gar nicht dein Hund?«
Martin schüttelte den Kopf.
»Du magst Hunde, das hab ich gleich gemerkt«, sagte Tina. »Ich mag Hunde auch. Wenn du willst, kannst du dir unsern ja mal angucken, wenn wir wieder zurück sind.«
»Beißt er?«, fragte Martin. Während er fragte, wurde ihm erst bewusst, dass Tina ihn ja damit zu sich eingeladen hatte. Ich werde auf jeden Fall hingehen, dachte er, und wenn er

zehnmal so bissig ist, wie das Schild am Hoftor vermuten lässt. »Ich guck ihn mir gerne an«, sagte er schnell. »Klar!«
»Er beißt überhaupt nicht«, sagte Tina. »Der wird dir gefallen. Er ist hellbraun, hat aber dunkelbraune Ohren.«
Vor lauter Reden hatte Martin gar nicht mitgekriegt, dass die Schlange inzwischen sehr viel weiter vorgerückt und er schon dran war. Erst als Frau Christlieb fragte: »Na, willst du mir nicht deinen Teller geben, junger Mann?«, und Frau Felix hinzufügte: »Oder hast du etwa keinen Hunger?«, schreckte er auf, drehte sich wieder nach vorn und gab seinen Teller ab.
Dann stand er mit vollem Teller noch eine Sekunde unschlüssig neben der Essensausgabe, während nun Tinas Teller mit Nudeln, Gulasch und Mischgemüse gefüllt wurde, sagte: »Also, tschüs und guten Appetit!«, und ging.
Tina und Sophie antworteten: »Gleichfalls!«, und es schien ihm, als seien sie sogar ein bisschen enttäuscht, dass er nicht auf sie gewartet hatte.
Eigentlich wollte er sich wieder neben Gerald setzen, aber als er an Basilius Mönkeberg vorbeikam, rief der: »Hier ist noch ein Stuhl frei, Martin!« So setzte sich Martin diesmal an den Tisch, an dem schon Basilius und zwei andere aus seiner Klasse saßen, aß hastig und ging danach schnell nach oben zum Sams.

»Ich habe gerade ganz lange mit Tina geredet. Sie ist genauso nett, wie ich gedacht habe«, erzählte Martin dem Sams, gleich nachdem er in sein Zimmer zurückgekommen war. »Stell dir vor, sie hat mich sogar zu sich nach Hause eingeladen.«

»Eingeladen? Schön, schön«, sagte das Sams. »Ich hoffe, du hast unten auch etwas für mich eingeladen. Etwas zu essen nämlich. Du darfst es gerne hier abladen.«
»Wie sollte ich denn Gulasch und Nudeln mit hochbringen? In der Hosentasche vielleicht? Nein, dazu müssen wir schon einen Wunschpunkt verbrauchen. Anders geht es nicht.«
»Könnte ich nicht wieder du sein und als Martin zum Essen hinuntergehn?«, schlug das Sams vor. Der Gedanke schien ihm zu gefallen.
Martin überlegte. »Nein, wir werden dein Essen lieber herwünschen«, beschloss er. »Erstens würde es Frau Christlieb bestimmt auffallen, dass ich ihr ein zweites Mal meinen leeren Teller hinhalte.«
»Und zweitens?«, fragte das Sams.
Und zweitens wollte Martin nicht, dass sich das Sams unten als Martin womöglich mit Tina unterhielt und die beiden zusammen lachten und über irgendwelche Dinge redeten, von denen er dann nichts wusste. Das sagte er aber dem Sams nicht.
»Und zweitens?«, fragte das Sams noch einmal.
»Und zweitens würde es bestimmt auch Frau Felix merken.«
»Na gut, dann bestell mir was Schönes aufs Zimmer«, sagte das Sams. »Weißt du schon, was du wünschst?«
»Ich weiß nur, was ich *nicht* wünsche: Nudeln, Gulasch und Gemüse. Denn das würde wieder von unten aus dem Speisesaal kommen und da fehlen.«
»Aus Speisezimmer oder -saal, woher es kommt, ist mir egal«, reimte das Sams, während es sich schon mal das Handtuch als Serviette umband.

»Ob aus China, ob aus Peine,
aus Hannover an der Leine,
Holland oder Österreich –
wichtig ist, es kommt jetzt gleich!
Ob aus Wien, ob aus Tirolien,
Finnland oder Anatolien
oder aus den USA –
wichtig ist, es ist schnell da!
Ob aus Oslo oder Bonn,
aus Texas oder Libanon,
ob aus Polen oder Hessen –
wichtig ist, man kann es essen!«

Martin sagte: »Es ist schon irre: Wenn man sich mal vorstellt, dass jetzt gleich irgendwo auf der Welt ein Teller voll Essen verschwindet und im selben Moment hier im Zimmer ist!«
»Stell dir lieber vor, dass irgendwo in der Welt drei oder vier Teller verschwinden«, schlug das Sams vor.
»Magst du Spinat?«, fragte Martin.
»Ist das der grüne Gemüsebrei, in dem die Fischstäbchen das Schwimmen üben?«
Martin lachte und nickte.
»Dann mag ich Spinat«, antwortete das Sams.
»Sehr gut!« Martin sagte: »Ich wünsche, dass hier im Zimmer drei Kinderteller mit einer großen Portion Spinat, Kartoffeln und Fischstäbchen stehen. – Guten Appetit!«
Das Sams kratzte sich am Bauch. Hatte das Sams nun drei Punkte weniger, weil es drei Teller gewesen waren? Oder galt das als *ein* Wunsch? Ehe Martin nachfragen konnte, fing das Sams schon schmatzend an zu essen und sagte

dabei: »Warum hast du ausgerechnet Kinderteller gewünscht?«
Martin grinste. »Das erkläre ich dir, wenn du fertig bist.«
Als das Sams die drei Teller geleert hatte (es hatte für jeden nicht länger als eine Minute gebraucht), sagte Martin: »Und nun wünsche ich die Teller wieder dahin zurück, wo sie hergekommen sind.«
»Verrätst du mir denn jetzt, warum es Kinderteller sein sollten?«
»Weil ich Spinat hasse«, sagte Martin. »Und ich kenne kein Kind, das dieses Zeug gerne mag. Jetzt kann ich mir vorstellen, dass vor fünf Minuten irgendwo drei Eltern gesagt haben: ›Du kriegst erst einen Nachtisch, wenn dein Teller leer ist!‹, und drei Kinder missmutig vor ihrem vollen Spinatteller gesessen und darin mit der Gabel herumgestochert haben. Und plötzlich – HUPPS – war ihr Teller verschwunden und – HUPPS – stand er wieder vor ihnen, aber leer. Und die Eltern müssen ihnen nun wohl oder übel den versprochenen Nachtisch geben. Das ist doch gut, oder?«
»Ja, Nachtisch ist gut«, bestätigte das Sams. »Wünsch sie mir bitte gleich her.«
»Was meinst du mit ›sie‹?«
»Die drei Nachtische«, erklärte das Sams. »Weil ich meine drei Teller Spinat doch brav leer gegessen habe.«
»Na gut. Ich wünsche dir zum Nachtisch drei Marzipanschweinchen.« Martin musste lachen. Er stellte sich das verblüffte Gesicht von Helga Mon vor. Obwohl es natürlich unwahrscheinlich war, dass die Schweinchen, in die das Sams jetzt so herzhaft hineinbiss, ausgerechnet von Helga kamen.

Während das Sams genüsslich seinen Nachtisch verzehrte, zog Martin seinen Skianzug über.
»Gehst du wieder weg, wie gestern?«, fragte das Sams.
»Ich muss. In zehn Minuten treffen sich alle Anfänger unten bei Herrn Leitprecht. Erst nur die Jungen. Später kommen dann auch die Mädchen dazu, wenn sie ihren Schneemann fertig haben.«
»Wünsch dir doch einfach, dass dein Herr Leitprecht drei Arme hat. Dann weiß er nicht, in welchen Händen er die Skistöcke halten soll, und das Skifahren fällt aus. – Nein? Keine gute Idee? – Oder wünsch dir, dass er aus Versehen seinen Skianzug anzündet, weil er ihn mit einer Zigarette verwechselt hat. – Auch keine gute Idee? Hm. – Dann wünsch dir vielleicht, dass er sich auf seine Brille setzt und sie zerbricht.«
»Woher weißt du überhaupt, dass er eine Brille hat?«
»Ich hab euch heimlich zugeguckt, gut versteckt und unentdeckt«, gestand das Sams. »Weil ich mich ziemlich lange gelangweilt habe. Wenn du jetzt wieder gehst, krieg ich die längste Weile, die es gibt.«
»Ich muss aber gehn. Spiel halt irgendwas, bis ich wiederkomme.«
»Spielen? Ich bin doch kein Kind!«
»Was könntest du nur machen?«
»Basteln.«
»Basteln?«, fragte Martin. Er glaubte sich verhört zu haben. Er konnte sich das Sams mit dem besten Willen nicht bei Bastelarbeiten vorstellen. »Was willst du denn basteln?«
»Ein Gebastel.«
»Aha. Und was braucht man dazu?«

»Pappkarton. Nein, wünsch mir lieber zwei Pappkartöne. Ein Teil allein ist nichts wert. Wie schon das Sprichwort sagt.«
»Welches Sprichwort?«
»Dieses hier:

> Ein Teil? Nichts wert!
> Doch haste zwei,
> dann macht se Spaß,
> die Bastelei.«

Martin sagte: »Ich wünsche dem Sams zwei Pappkartons.«
»Und was ist mit meiner Schere?«
»Mit welcher Schere? Du hast doch gar keine.«
»Ja, eben! Dann wünsch sie mir gleich her«, sagte das Sams und machte es sich in einem der Kartons bequem. »Oder kennst du das andere Sprichwort etwa auch nicht?«
»Welches andere?«

»Dieses hier:

Sägst du dir dein Holzbein klein,
kann eine Säge nützlich sein.
Doch schneidest du zwei Pappkartöne,
brauchst du 'ne Schere, eine schöne.«

»Na gut: Ich wünsche dem Sams auch noch eine schöne Schere. Und nun auf Wiedersehn. Ich muss jetzt gehn. Wiedersehn, muss jetzt gehn? Jetzt fange ich auch schon an richtig samsig zu reimen!«
»Samsig? Na, da fehlt aber noch einiges«, sagte das Sams hochnäsig (oder besser gesagt: hochrüsselig). »Das war noch ziemlich taschenbierig.«

Den ganzen Nachmittag fuhr Martin mit Herrn Leitprecht und den anderen aus der Anfängergruppe Ski und stellte dabei fest, dass Skifahren sogar Spaß machte. Er fühlte sich auch viel mutiger als sonst, übte fleißig den Stemmbogen und wagte es schon, einen kleinen Abhang im Schuss hinunterzufahren. Nur das Abbremsen beherrschte er noch nicht, vom eleganten Abschwingen ganz zu schweigen. Wenn er anhalten wollte, setzte er sich einfach auf den Hintern, rutschte ein paar Meter und ließ sich dann seitlich in den hohen Schnee fallen.
Schade, dass Tina keine Anfängerin mehr ist und mit Herrn Daumes Gruppe losgezogen ist, dachte er. Ich müsste mich gar nicht besonders vor ihr schämen.
Alle waren ziemlich durchnässt und redlich geschafft, als Herr Leitprecht am späten Nachmittag mit ihnen zum Schullandheim zurückging.
Als sie sich dem Haus näherten, rief Anna Remmer, ein

Mädchen aus Martins Klasse, aufgeregt nach Herrn Leitprecht. Sie war mit ihrer Freundin Susanna einige Meter vor der Gruppe hergegangen, nun standen die beiden Mädchen am Rand der Wegböschung, zeigten in den Schnee und winkten die anderen heftig zu sich heran. Alle beschleunigten ihre Schritte. Selbst die ganz Erschöpften rafften sich noch einmal auf und gingen schneller. Die beiden Mädchen wirkten gar zu aufgeregt.

»Was gibt's denn?«, fragte Herr Leitprecht, als er bei ihnen ankam.

»Da!« Sie zeigten in den Schnee. »War das ein Tier? Gibt es hier so große Tiere? Sind die gefährlich?«

Durch den weißen, unberührten Schnee unterhalb der Böschung zog sich eine auffällige Fußspur. Das Wesen, das diese Fährte verursacht hatte, musste riesige Füße haben und gewaltig groß sein.

Alle ließen ihre Skier oben am Wegrand stehen, rannten den Abhang hinunter und betrachteten die Spur. Es war keine Tierfährte, das sah man auf den ersten Blick. Ganz deutlich zeichneten sich die Abdrücke eines Fußes mit fünf Zehen im Schnee ab. Es handelte sich zweifellos um menschliche Füße. Vorausgesetzt, man konnte sich einen Menschen vorstellen, der Füße von der Länge eines mittleren Couch-

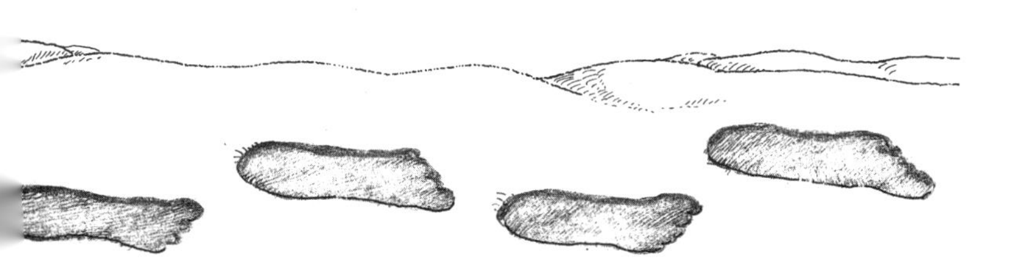

tisches hatte. Ein Mensch mit solcher Fußlänge musste mindestens drei Meter fünfzig groß sein.
»Das war ein Schneemensch! Ein Yeti!«, stellte Gerald sachkundig fest, nachdem er die Abdrücke näher untersucht hatte.
»Unsinn. Schneemenschen gibt es nicht«, sagte Herr Leitprecht.
»Doch, die gibt's«, behauptete Gerald. »Ich hab's in der Zeitung gelesen. In China haben sie einen gesichtet. Drei Meter groß und dicht behaart.«
»Dicht behaart?«, rief Susanna.
»Das ist ja gruselig«, sagte Anna.
»Wir sind hier nicht in China«, belehrte sie Herr Leitprecht. Das war zwar korrekt, konnte aber die Ängste der zwei Freundinnen nicht völlig zerstreuen. Die beiden zogen sich schaudernd auf den Weg zurück.
Herr Leitprecht sagte: »Wenn wir die Abdrücke zurückverfolgen, werden wir bestimmt sehn, dass sie vom Schulland-

heim ausgehn. Da hat sich jemand einen Scherz erlaubt. Kommt mit!«
Und weil immer noch einige zögerten, ihm zu folgen, und ängstlich am Wegrand stehen blieben, rief er: »Je weiter ihr mit mir in diesen Spuren zurückgeht, desto weiter seid ihr von eurem schrecklichen Schneemenschen entfernt!« Das überzeugte alle. Sie nahmen ihre Skier wieder auf und gingen mit Herrn Leitprecht.
Martin kam zögernd hinter den anderen her. Er fragte sich, ob er nicht lieber in die Gegenrichtung laufen und den Spuren folgen sollte. Er hatte nämlich einen ganz bestimmten Verdacht.
Auf halbem Weg kam ihnen Herr Daume mit einigen Schülern entgegen. Auch sie hatten in der Nähe des Hauses die Spuren entdeckt und waren ihnen mutig und neugierig gefolgt.
Die Gruppe von Herrn Leitprecht spaltete sich nun. Einige gingen mit ihm zum Schullandheim zurück, ein paar schlossen sich der Expedition von Herrn Daume an, unter ihnen auch Martin.
Da Martin vorher am Ende der Schlange gegangen war, brauchte er sich nur umzudrehen, um jetzt als Erster vor der neuen Gruppe herzulaufen. Seine Skier stellte er aufrecht in den hohen Schnee; die würde er auf dem Rückweg wieder mitnehmen.
Er rannte, so schnell er konnte, stapfte keuchend den Spuren nach und stellte bald zufrieden fest, dass er den anderen schon gut zehn Meter voraus war.
Als er den Kamm eines kleinen Hügels erreicht hatte und hinuntergucken konnte, sah er den Schneemenschen vor

sich: Der war nur am Kopf behaart, trug einen Taucheranzug und seine Nase sah aus wie ein Schweinerüssel.
Das Sams hatte sich aus Pappkarton riesige Füße ausgeschnitten, sie über die Taucherflossen gezogen und stapfte damit fröhlich durch den Schnee.
Martin legte die Hände wie einen Trichter um den Mund und brüllte: »Sams! Hörst du mich?«
Das Sams blieb stehen, guckte sich um und winkte.
Martin schrie ihm zu: »Ich wünsche, dass du sofort in meinem Zimmer bist!«
Kurze Zeit später kamen die anderen oben bei Martin an.
»Was schreist du so?«, fragte Jens Uhlmann, der als Erster angelangt war.
Auch Herr Daume wollte wissen: »Warum hast du gerufen?«
»Ich … weil …«, stotterte Martin. »Weil … ich … Weil ich so überrascht war.«
»Überrascht? Weshalb?«
»Da, gucken Sie doch: Die Spur hört plötzlich auf und geht nicht weiter.«
»Tatsächlich!« Nun war auch Herr Daume überrascht.
Alle rannten den Hügel hinunter. Herr Daume kam hinterher und schrie: »Halt, geht nicht zu nah an die letzten Fußstapfen heran! Ihr zerstört sonst die Spuren.«
Dann standen alle in einem großen Kreis um den letzten Fußabdruck herum. Und alle außer Martin wunderten sich: Die Spur hörte unvermittelt auf, ringsherum war nur weißer, glatter Schnee zu sehen.
Gerald, der als Letzter bei den anderen eingetroffen war, guckte erst auf das Ende der Spur, dann mit weit zurückge-

legtem Kopf zum Himmel. Alle folgten unwillkürlich seinem Blick und schauten nach oben. Sie hatten sofort begriffen, was Gerald dachte: Der Schneemensch musste Flügel haben und von dieser Stelle aus losgeflogen sein.
»Nicht zu fassen«, murmelte Herr Daume. »Unglaublich. Einfach nicht zu fassen!« Er schüttelte immer wieder den Kopf.
»Das müssen wir gleich der Zeitung melden, Herr Daume«, schlug Jens Uhlmann vor.
Gerald rief schon die Schlagzeile aus: »Geflügelter Schneemensch in der Rhön gesichtet!«
»Ihr werdet euch hüten!«, sagte Herr Daume. »Wir machen uns doch nicht lächerlich. Schneemensch! Schneemensch mit Engelsflügeln! So was!«
»Was kann es denn sonst gewesen sein?«, fragte ein Schüler.
Herr Daume zuckte die Achseln. »Irgendein Scherzbold.« Man hörte seiner Stimme an, dass er selbst nicht recht glaubte, was er sagte.
»Können Scherzbolde denn einfach verschwinden?«, fragte Jens.
»Gewisse Hunde können es ja auch«, murmelte Herr Daume. Laut sagte er: »Da wir den Fall sowieso nicht klären werden, gehen wir jetzt zurück. Es wird schon dunkel. Außerdem versäumen wir sonst noch das Abendessen und bekommen Ärger mit Frau Felix.«
»Und mit Frau Christlieb«, ergänzte Martin.

Der geheimnisvolle Schneemensch war das Gesprächsthema Nummer eins beim Abendbrot.
Die Schüler, die mit Herrn Leitprecht gegangen waren, er-

zählten, wie sie die Spuren bis vor das Haus zurückverfolgt hatten. Sie begannen unmittelbar unter einem Fenster, das zu dem Raum gehörte, in dem Frau Christlieb und Frau Felix die Getränke aufbewahrten. In einem der Sprudelkästen sei eine Flasche leer gewesen. Frau Felix wisse aber nicht genau, ob sie vorher schon leer war oder ob sie der Schneemensch ausgesoffen habe. Sonst sei nichts Auffälliges zu entdecken gewesen.

Die Schüler der anderen Gruppe berichteten mit gewichtiger Miene, wie sie dem Geheimnisvollen immer dichter auf den behaarten Pelz gerückt seien, er aber in letzter Sekunde durch die Luft entkommen war.

Frau Christlieb und Frau Felix hatten die Geschichte natürlich mitgekriegt und schwankten zwischen Gruseln und Belustigung.

»Eines weiß ich bestimmt: Heute Nacht werden wir alle Türen abschließen, nicht wahr?«, sagte Frau Christlieb.

»Und darauf achten, dass alle Fenster zu sind«, ergänzte Frau Felix.

»Ganz egal, ob es nun ein Scherz war oder ein Schneemensch«, sagte Frau Christlieb. »Es kann jedenfalls nicht schaden.«

Frau Felix nickte bestätigend.

»Und außerdem«, fuhr Frau Christlieb fort, »außerdem kommt auf diese Weise keiner in Versuchung, noch einmal Wurst und Käse zu stehlen, nicht wahr?«

»Und Teller unter dem Tisch zu verstecken«, fügte Frau Felix mit einem Seitenblick auf Herrn Daume hinzu.

Als Martin endlich in sein Zimmer kam, saß das Sams auf dem Bett und guckte ihn schuldbewusst an.
»Was hast du dir nur dabei gedacht!?«, sagte Martin.
»Ich hatte eben so Durst, weil du vergessen hast mir etwas zu trinken zu wünschen«, antwortete das Sams kleinlaut. »Da musste ich mir selber was besorgen und hab den Sprudel ausgetrunken. Nur vier Flaschen.«
»Vier?«, fragte Martin. »Es war doch nur eine leer?«
»Oh, die hab ich wohl vergessen.«
»Vergessen? Wieso vergessen?«
»Weil ich die Sprudelflaschen hinterher doch am Wasserhahn wieder aufgefüllt habe, damit's keiner merkt.«
Martin musste gegen seinen Willen lachen. »Ich spreche nicht vom Sprudel, der ist mir ziemlich egal ...«
»Wie schön!« Das Sams freute sich.
»... ich spreche von den Fußstapfen!«
»Die waren doch supermächtig stark stapfig, was? Willst du mal meine Pappkartonfüße sehn? Ich hab sie in den Schrank gelegt.« Es öffnete die Schranktür und zeigte stolz hinein. »Bestens zusammengebastelt, bastelnd zusammengebessert!«
»Weshalb warst du überhaupt draußen? Und warum musstest du dann auch noch Schneemensch spielen?«
»Schneemensch? Ich wollte nur spazieren gehn. Und weil ich keine Skier habe wie du, hab ich mir große Füße ausgeschnitten, damit ich nicht einsinke im Schnee.«
»Und was hättest du gesagt, wenn ich dich nicht in letzter Sekunde zurückgewünscht hätte?«
»Gar nichts. Ich hätte höchstens was gesungen.«
»Und was?«

»Vielleicht: ›Herr Daume, Herr Daume ist eine Zwetschgenpflaume‹ oder ›Herr Leitprecht ist ein Buntspecht‹ oder ›Frau Ballhausen hat Ohrensausen‹ oder so was.«
»Aber dann hätte man dich entdeckt! Ich habe doch gewünscht, dass du dich gut verstecken sollst!«
»Nein, hast du vergessen. Du hast nur einen taschenbierigen Reim gemacht mit ›Wiedersehn‹ und schon warst du weg.«
»Du meinst also, ich sei selbst schuld?«, fragte Martin.
»Mach dir nichts draus. Kann jedem mal passieren, dass er zu wünschen vergisst«, tröstete ihn das Sams. »Lass uns nicht ewig darüber reden, was du für Fehler gemacht hast, lass uns lieber schlafen gehn. Die Fußwanderung hat mich müde gemacht, die Pappkartonfüßewanderung.«
»Und mich die Verfolgung des geheimnisvollen Schneemenschen.« Martin gähnte.
»Schneemensch? Das ist vielleicht spannend! Von dem musst du mir morgen gleich erzählen«, sagte das Sams, gähnte ebenfalls, legte sich angezogen aufs Bett und war in der nächsten Sekunde eingeschlafen.
Martin zog sich aus, löschte das Licht und legte sich auch ins Bett.
»Weißt du was, Sams: Dieser Tag war der aufregendste und spannendste in meinem Leben. Heute ist derart viel geschehn! Ich kann kaum glauben, dass alles an einem einzigen Tag passiert ist. – Sams? – Hörst du mir überhaupt zu?«
Von drüben aus dem Dunkel kam keine Antwort mehr. Das Sams schlief tief und fest.

10. KAPITEL
Ein verhängnisvoller Wunsch

Als am nächsten Morgen die Klingel im Flur schrillte und Herrn Daumes üblicher Morgenspruch vom Aufstehen und Zähneputzen aus dem Lautsprecher ertönte, kam es Martin vor, als sei es erst kurz nach Mitternacht. Er war so müde wie schon lange nicht mehr; die Anstrengungen vom Vortag wirkten nach.
Gähnend zog er sich an, schlurfte zum Frühstück hinunter, trank fast im Halbschlaf seinen Pfefferminztee, wurde nur kurz etwas wacher, als Tina in den Esssaal kam und ihm zunickte, aß dann eine einzige Scheibe Brot, steckte den Rest des Frühstücks in die Jackentasche und ging gemächlich und immer noch schläfrig nach oben in sein Zimmer. Dort packte er das Frühstück aus, reichte es stumm dem Sams, gähnte noch einmal und legte sich auf sein Bett.
Als wenig später die Lautsprecherstimme ansagte, dass sich nun die Anfänger bei Herrn Leitprecht und die anderen bei Herrn Daume einfinden sollten um ihre Skier abzuholen, erhob sich Martin schneckenhaft langsam vom Bett, gähnte schon wieder und sagte: »Heute hab ich wirklich keine Lust aufs Skifahren. Am liebsten würde ich einen andern für mich schicken, mich wieder ins Bett legen und noch zwei Stunden pennen.«
»Einen andern? Meinst du mich?«, fragte das Sams.

»Nein. Das sagt man nur so.« Martin setzte sich wieder und dachte nach. »Dabei wäre das nicht mal die schlechteste Idee. Du bist Martin Taschenbier und gehst mit Herrn Leitprecht Ski fahren. Und ich kann hier noch ein bisschen ausruhn. Dann könnte ich auch sicher sein, dass du nicht irgendwelche Streiche spielst, Sprudelkästen leer trinkst oder Schneemensch spielst. Aber es geht ja nicht.«
»Warum soll das nicht gehn? Gestern war ich doch auch du.«
»Weil so ein Wunsch ja höchstens eine halbe Stunde hält. Und Herr Leitprecht ist mindestens zwei Stunden mit seiner Gruppe unterwegs.«
»Ich wüsste schon, wie ich länger Martin sein könnte«, sagte das Sams. »Du musst einfach mehrmals und im Voraus wünschen.«
»Wie geht das?«
»Erst wünschst du, dass ich wie du aussehe. Dann wünschst du gleich hinterher, dass ich wie du aussehe, wenn nach einer halben Stunde der erste Wunsch nachzulassen beginnt. Dann wünschst du, dass ich wie du aussehe, wenn der zweite Wunsch nachlässt. Und dann wünschst du, dass ich wie du aussehe, wenn der dritte Wunsch nachlässt. Anschließend wünschst du, dass ich wie du aussehe, wenn der vierte Wunsch nachlässt. So einfach geht das!«
»Das kostet aber fünf Punkte«, sagte Martin, dem der Gedanke immer besser gefiel.
»Dafür halten die Wünsche auch mindestens fünf halbe Stunden, wenn nicht sogar zweieinhalb ganze.«
»Ich mache es!«, sagte Martin kurzentschlossen und wünschte genau so, wie es das Sams vorgeschlagen hatte.

Kurz darauf ging der andere Martin mit Skianzug und Mütze aus dem Zimmer, während sich der echte mit einem wohligen Seufzer ins Bett fallen ließ und noch ein Stündchen döste.
Nach zwei Stunden wurde es Martin langweilig. Er überlegte, wie er sich die Zeit vertreiben könne. Das Zimmer durfte er nicht verlassen, so viel stand fest. Was könnte er nur tun? Wenn das Sams Martin spielt, sagte er sich schließlich, dann werde ich jetzt einfach Sams spielen und anfangen zu reimen. Er holte ein Blatt Papier und einen Bleistift, schloss die Augen und dachte nach. Nach nicht ganz sieben Minuten konnte er die Augen schon wieder aufmachen und zu schreiben beginnen, denn ihm war ein Gedicht eingefallen. Es war nur zwei Zeilen lang und eindeutig dem gestrigen Samsgedicht nachgemacht. Es gefiel ihm aber trotzdem:

Willst du dir ein Holzbein schnitzen,
könnte dir ein Messer nützen.

Er schloss noch einmal die Augen und dachte ungefähr fünf Minuten darüber nach, wie er es vielleicht verlängern könnte. Dann schrieb er darunter:

Holzwürmer, die die Löcher bohren,
ha'm im Holzbein nichts verloren.

Die neuen zwei Zeilen strich er dann aber wieder durch. Die beiden »die« hintereinander gefielen ihm nicht und das »ha'm« fand er auch nicht gerade gelungen. Als er schon das Blatt weglegen wollte, fiel ihm noch ein erstklassiger Werbespruch ein:

Der Pirat sagt voller Stolz:
Mein Holzbein ist aus Eichenholz!

Er beschloss diesen Spruch bei der nächsten sich bietenden

Gelegenheit an eine Holzbeinfirma zu verkaufen und sich von dem Geld einen Computer anzuschaffen.

Daraufhin legte er das Blatt endgültig beiseite und griff zu einem Buch, das ihm seine Mutter auf die Reise mitgegeben hatte. Es hieß »Skifahren leicht gemacht« und versprach im Vorwort, den Leser in zwölf Lektionen zum perfekten Skifahrer zu machen.

Martin war gerade bei Lektion drei angekommen (»Die Haltung ist das Wichtigste«), als das Sams hereingestürmt kam und die Tür hinter sich zuknallte.

»Gerade noch mal gut gegangen«, rief es. »Noch fünf Minuten länger und alle hätten sich gewundert, was Martin plötzlich für eine Nase hat.«

Martin legte das Buch zur Seite. »Wie war's denn? Erzähl mal!«

»Och, nichts Besonderes. Keiner hat gemerkt, dass ich kein

echter Martin bin. Das Skifahren war ein bisschen langweilig, aber hat lange nicht so lang geweilt, wie das Zimmerhocken immer langweilt. Nur das Achterfahren hat Spaß gemacht.«
»Wieso Achterfahren? So was kann man doch höchstens mit Schlittschuhen.«
»Ein Sams kann so was auch mit Skiern«, sagte das Sams stolz. »Ich könnte auch einen Kopfstand machen und auf den Händen Ski fahren, wenn ich wollte oder sollte oder dürfte.«
Martin war entsetzt. »Hast du das etwa auch getan?«
»Nein. Wäre das denn schlimm gewesen?«
»Und ob. Das war das letzte Mal, dass du als Martin Ski gefahren bist. Heute Nachmittag gehe wieder ich mit der Gruppe, sonst schöpfen die andern Verdacht.«
»Schöpfen? Mit dem Schöpflöffel?«, fragte das Sams. »Die sollen lieber Vanillecreme schöpfen. So eine Schöpfung würde mir viel besser gefallen.«
Martin ging nicht auf die Witze des Sams ein und sagte nur: »Heute Nachmittag gehe jedenfalls ich. Das musst du verstehn, die andern würden sonst bestimmt was merken.«
»Ich merke auch was Bestimmtes«, sagte das Sams. »Nämlich, dass du vorhast, mich mal wieder einen langen Nachmittag lang hier ins Zimmer zu wünschen. Wenn andere zum Skisport eilen, kann ich mich lang und länger weilen.«

Nach dem Mittagessen rief Herr Daume Martin an den Lehrertisch. »Herr Leitprecht hat gerade mit mir gesprochen«, sagte er. »Er meint, dass du alles andere als ein Anfänger bist.«

Herr Leitprecht sagte: »Taschenbier, du musst doch zugeben, dass es ein schlechter Witz von dir war, dich zur Anfängergruppe zu melden.«
»Wieso? Ich ... ich kann wirklich noch nicht gut fahren«, stammelte Martin. »Wirklich nicht.«
»Na hör mal! Wer wie du heute Morgen auf einem Bein die steilsten Hänge hinunterrast und dabei noch wedelt wie ein Weltmeister, der kann sich ja schlecht als Anfänger bezeichnen. Oder?«
Martin zuckte die Achseln und antwortete nicht.
Herr Daume fragte: »Gibt es irgendwelche Gründe, warum du dich für Herrn Leitprechts Gruppe gemeldet hast? Liegt es vielleicht daran, dass in meiner Gruppe der Plattner mitfährt? Ich weiß ja, dass es zwischen euch ständig Zoff gibt.«
»Nein, nein«, sagte Martin.
»Gut. Dann kommst du also ab heute Nachmittag in meine Gruppe«, sagte Herr Daume. »Wir treffen uns pünktlich um halb drei vor dem Eingang.«
»Aber ...«, fing Martin an.
»Kein Aber! Ich will dich heute Nachmittag bei meiner Gruppe sehn, verstanden!«

Verwirrt und sehr besorgt ging Martin in sein Zimmer zurück und erzählte alles dem Sams. »Warum musstest du auch ausgerechnet auf einem Bein Ski fahren!«, sagte er vorwurfsvoll.
»Ich bin nicht nur auf einem gefahren«, verteidigte sich das Sams. »Ich hab alle beide benutzt. Mal das linke, mal das rechte, mal das gute, mal das schlechte. Angsthasen brauchen beide Beine, das Sams nimmt gerne eins alleine.«

»Was soll ich nur machen? Ich kann doch nicht mit den Profis fahren«, sagte Martin. »Ich blamiere mich ja bis auf die Knochen. Gestern stand ich zum zweiten Mal in meinem Leben auf Skiern. Es geht einfach nicht. So dämlich es ist: Ich muss dich heute Nachmittag wieder als Martin losschicken. Diesmal mit Herrn Daume. Traust du dich?«
»Warum nicht? Denkst du, ich fürchte mich vor Herrn Daume-Pflaume?«
»Nein. Ich meine, ob du dich auf eine richtige Skipiste traust, nicht nur auf so ein Hügelchen wie bei Herrn Leitprecht.«
»Und ob! Samsregel vierundvierzig:

Das Sams fährt gerne auf der Skipist',
weil es im Skifahrn ein Genie ist.«

»Dann werde ich das Genie wohl wieder zu Martin Taschenbier machen müssen. Aber nicht jetzt schon. Erst um halb drei. Das spart uns einen Wunschpunkt.«
Fünf vor halb drei sagte Martin: »Ich wünsche, dass du wie Martin Taschenbier aussiehst.« Dann wiederholte er den Wunsch nicht nur viermal wie am Vormittag, sondern gleich sechsmal. Für alle Fälle.
Als Sams-Martin schon gehen wollte, fiel dem echten noch etwas ein und er hielt seinen Doppelgänger zurück.
»In deiner neuen Gruppe fährt ja Tina mit! Ich will nicht, dass du mit ihr sprichst und Witze machst oder so was«, sagte er.
»Warum denn nicht?«
»Weil ich sonst gar nicht weiß, was ich heute Nachmittag mit ihr geredet habe, wenn ich sie beim Abendessen sehe.«
»Willst du das oder wünschst du das?«, fragte das Sams.

»Ich wünsche, dass du nicht mit Tina sprichst«, sagte Martin. »So, jetzt ist es höchste Zeit. Du musst schnell gehn. Viel Glück!«

Der Nachmittag zog sich endlos lange hin. Es fing draußen schon an zu dämmern, als Sams-Martin endlich wiederkam. Diesmal hatten die Wünsche lange genug gehalten.
»Na, wie war's? Erzähl!«, rief Martin.
»Was soll ich viel erzählen?«, sagte der andere Martin. »Wir sind eben ein bisschen Ski gefahren. Herr Daume-Pflaume hat eine Piste abgesteckt, dann ist einer nach dem andern gefahren, manchmal auch nach *der* anderen, wenn es ein Mädchen war, und zwar immer den Berg hinunter, nie bergauf.«
»Und weiter?«
»Weiter? Herr Daume hat die Zeit ganz genauestens gestoppt, die jeder dabei verbraucht hat. Oder *jede*, wenn es ein Mädchen war.«
»Die Zeit gestoppt? Warum denn?«
»Weil er einen Wettkampf zwischen der 4a und der 4b veranstalten will. Dafür sucht er die Besten aus.«
»Wer ist denn die schnellste Zeit gefahren? Bestimmt Jens Uhlmann.«
»Nein, *du* natürlich!«
»Ich? Ich kann ja gar nicht fahren?!«
»Aber ich! Wenn ich auch aussehe wie ein Martin, darf ich doch trotzdem fahren wie ein Sams. Oder?«
»Das wird ja immer komplizierter«, stöhnte Martin. »Wenn das so ist, musst du ja – ich meine: muss *ich* ja beim Wettkampf mitmachen. Wann soll der denn stattfinden?«

»Am Freitagnachmittag.«
»Ich kann doch unmöglich an diesem Wettkampf teilnehmen!«
»Dann werde ich dich wohl am Freitag vertreten müssen«, sagte das Sams.
»Das würde ja bedeuten, dass du auch morgen und übermorgen als Martin durch die Gegend wanderst!«
Sams-Martin freute sich. »Danke, Martin, dass du mir das erlaubst. Ski fahren macht nämlich mehr Spaß, als im Zimmer zu sitzen und aus Pappkartönen Füße auszuschneiden.«
»Wer außer dir, also außer *mir*, ist denn sonst noch eine gute Zeit gefahren?«, wollte Martin wissen.
»Jens Uhlmann, Leander Plattner ...«
»Was, der Plattfuß?«
»Ja. Der muss sich nur auf die Skier stellen und kaum was tun. Den zieht sein Gewicht schon nach unten.«
»Und wer noch?«
»Rudi Schopper ...«
»Den kenne ich nicht. Der muss aus der 4b sein«, sagte Martin. »Sonst noch jemand?«
»Tina Holler ...«
»Tina? Unsere Tina, ich meine *die* Tina? Ehrlich? Kann die so gut Ski fahren?«
»Warum nicht? Denkst du, Mädchen können nicht schnell fahren? Kann sie aber.«
»Hast du sie angequatscht?«
»Angequakt? Bin ich ein Frosch?«
»Ob du sie angesprochen hast, meine ich.«
»Nein. Du hast doch gewünscht, dass ... dass ... Ohh!«
Sams-Martin fasste sich an die Nase und rieb heftig daran.

Kurze Zeit später war er wieder das Sams und der echte Martin ging hinunter zum Abendbrot.

Als Martin durch die Tür des Speisesaals kam, wurde er von vielen Seiten begrüßt. An allen Tischen schien es plötzlich massenhaft leere Stühle zu geben, denn von überall her rief man: »Da ist noch ein Platz frei, Martin!«, oder »Komm doch an unsern Tisch, Martin!«
Martin blieb einen Moment überrascht neben der Tür stehen, unentschlossen, welches schmeichelhafte Angebot er annehmen solle. Er entschied sich für den Tisch, an dem schon Jens Uhlmann mit zwei anderen aus der Klasse saß. Es kam schließlich nicht jeden Tag vor, dass einem ein Jens Uhlmann zurief: »He, Martin, setz dich zu uns!«
»Hier, nimm dir ein Brot«, sagte Matthias Doderer, der mit am Tisch saß. »Du bist heute eine klasse Zeit gefahren. Das hätte dir vorher keiner zugetraut.«
Martin belegte sein Brot dick mit Schinken und tat so, als ob ihn diese Tätigkeit so in Anspruch nahm, dass er nicht antworten konnte.
Jens Uhlmann sagte: »Heute war ich nicht besonders in Form. Ich bin gespannt, ob du auch morgen schneller bist als ich.«
Martin biss in sein Schinkenbrot, mampfte und sagte dabei: »Es ist mir eigentlich egal, wer von uns schneller ist. Hauptsache, die 4a gewinnt den Wettkampf.«
»Das ist Teamgeist! Echt gut!«, lobte Matthias.
»Das find ich auch«, sagte Jens. »Willst du Tee haben, Martin?«
Martin reichte ihm seine Tasse hinüber und Jens füllte sie.

»Wo hast du eigentlich so gut Ski fahren gelernt?«, fragte Mirko Davidoff der Vierte am Tisch.
»Ach, mal hier, mal da«, sagte Martin in seine Teetasse. »Kann ich bitte noch ein Brot haben?«
»Hier, Martin!« Matthias und Mirko reichten ihm von zwei Seiten das Brot zu.
»Jetzt lasst Martin doch mal in Ruhe essen und löchert ihn nicht ständig mit euren Fragen«, sagte Jens Uhlmann.
Alle aßen nun, unterhielten sich dabei, machten Witze und spöttische Bemerkungen, riefen einander kleine Sticheleien zu und konnten sich manchmal nicht halten vor Lachen. Martin saß bei ihnen, lachte mit, machte mit und hatte zum ersten Mal das Gefühl, dass er dazugehörte, dass alle ihn mochten und dass er gar nicht so anders war als sie.
Ab und zu schaute er zu dem Tisch hinüber, an dem Tina saß. Es schien ihm, als wiche sie seinen Blicken aus.
Nach dem Essen blieb Martin noch eine Weile sitzen und wartete, bis Tina fertig war. Als sie vom Tisch aufstand, stand auch er auf und richtete es so ein, dass sie an der Tür zusammentrafen.
»Hallo, Tina«, sagte Martin und lächelte sie an.
Aber sie lächelte nicht, grüßte auch nicht zurück, guckte ihn nur kalt an und ging weiter.
Das Glücksgefühl, die Freude, die ganze übermütige Stimmung war mit einem Schlag dahin. Reglos stand Martin da und schaute hinter ihr her, niedergeschmettert. Er fühlte sich, als sei er jäh in den Abgrund gefallen, über den man COSMO in Rolands Spiel immer so vorsichtig hüpfen lassen musste, weil ein Absturz den sicheren Tod bedeutete.
An jedem anderen Tag hätte er sich jetzt umgedreht, wäre

die Treppe hochgeschlichen, hätte sich oben ins Bett gelegt, die Decke übers Gesicht gezogen und trübsinnigen Gedanken nachgehangen. Doch nicht an diesem Abend!
Martin ging hinter Tina her und erreichte sie noch vor der Tür, die zum Haus führte, in dem die Mädchen wohnten. Er stellte sich ihr in den Weg und fragte: »Was ist denn los mit dir? Warum bist du so komisch? Hab ich dir was getan?«
Tina blieb stehen. »*Ich* bin komisch?«, sagte sie. *»Ich?«*
»Was meinst du damit?«, fragte Martin. »Bin ich vielleicht fies zu dir oder was?«
»Jetzt nicht. Aber heute Nachmittag warst du *so was* von unmöglich. Ich hab mich wahnsinnig geärgert, das will ich dir nur sagen!«
»Ich? Warum denn? Was soll ich denn gemacht haben?«
»Tu doch nicht so scheinheilig. Du weißt genau, was ich meine. Ich hab dich gefragt, ob du mit mir in eine Vierergruppe gehn willst. Obwohl du doch in der 4a bist. Aber du

hast mich nur komisch angeguckt und überhaupt keine Antwort gegeben. Dann bist du mit denen aus deiner Klasse weggegangen und hast mich einfach stehen lassen. Und das vor allen andern aus meiner Klasse. Das war so gemein!«
Martin wurde knallrot. Daran war natürlich der Sams-Wunsch schuld. Hätte er dem Sams doch nur nicht verboten mit Tina zu sprechen! Wie sollte er das erklären?
»Tina, das tut mir wirklich Leid. Sehr Leid«, sagte er.
»So, es tut dir jetzt Leid. Und warum hast du es dann gemacht? Weil die andern aus deiner Klasse zugeschaut haben!«
»So was würde ich nie machen wegen der andern. Nie«, versicherte Martin.
»Dann bin ich aber mal gespannt, was du für eine Erklärung hast!«
»Leider gar keine. Du musst mir einfach glauben, dass ich es nicht absichtlich gemacht habe und dass es mir Leid tut. Und dass ich gar nicht anders gekonnt habe, selbst wenn ich gewollt hätte. Es gibt einen ganz wichtigen Grund, den darf ich dir aber nicht verraten. Noch nicht. Vielleicht später. – Vielleicht schon, wenn ich mir nächste Woche euren Hund angucke.«
»Unsren Hund? Ich glaub, das lassen wir lieber«, sagte Tina.
»Komm, sei nicht mehr sauer auf mich«, sagte Martin. »Ich hab mich doch schon so darauf gefreut.«
Tina stand eine Weile unschlüssig da. Martin sah sie bittend an. Schließlich sagte sie: »Na gut. Aber nur, wenn du mir dein Ehrenwort gibst, dass du mir nächste Woche sagst, warum du es gemacht hast.«

»Gut, ich verprech's dir.«
»Dann komm am besten Mittwochnachmittag, da hab ich frei. Montags treffe ich mich mit Sophie ...«
»Und ich mich wahrscheinlich mit Roland«, sagte Martin. »Und was ist mit dem Dienstag?«
»Da muss ich zur Klavierstunde. Also Mittwoch. So gegen drei. Du weißt ja, wo wir wohnen.«
»Woher weißt du, dass ich weiß, wo ihr wohnt?«, fragte Martin.
Tina wurde ein bisschen verlegen. »Ich hab doch gemerkt, wie du hinter mir hergegangen bist.«
Jetzt war auch Martin verlegen. »Etwas wollte ich dich schon gestern fragen. Woher kennst du eigentlich meinen Namen?«
»Dein Freund, dieser Kleine ...«
»Roland Steffenhagen?«, fragte Martin.
»Ja, ich glaub, so heißt er. Er hat Sophie über mich ausgefragt. Erst hat sie gedacht, Roland wäre in mich ... also, würde sich für mich interessieren. Dann hat sie aber rausgekriegt, dass er es für seinen Freund Martin tut. Das war mir auch lieber, denn aus Roland mache ich mir nichts.« Sie merkte plötzlich, dass sie sich verplappert hatte. Martin merkte es auch und das Glücksgefühl von vorhin stellte sich wieder ein. Sie hatte gewissermaßen zugegeben, dass sie sich aus ihm »etwas machte«!
In diesem Augenblick kam Sophie aus der Tür, ging zu Tina und sagte: »Da bist du! Ich warte schon eine Viertelstunde auf dich. Wo bleibst du denn? Wir wollten doch noch Ansichtskarten schreiben.«
»Tschüs, Martin«, sagte Tina. »Ich muss jetzt rein.«

»Gute Nacht, Tina.« Er hätte ihr furchtbar gern die Hand gegeben. Aber es kam ihm dann doch zu albern vor.
»Tschüs, Martin«, sagte Sophie, nahm Tina beim Arm und ging mit ihr durch die Tür. Er hörte noch, wie sie zu Tina sagte: »Ich denke, du bist sauer auf den? Jetzt redest du ja doch stundenlang mit ihm!«
Martin schaute den beiden nach, bis sie hinter der Tür verschwunden waren. Dann rannte er die Treppe zu seinem Zimmer hoch und nahm dabei immer drei Stufen auf einmal.
Jetzt fühlte er sich, als sei er Commander Keen, habe gerade das Monster besiegt, den schwierigsten Level geschafft und trotzdem noch drei Leben übrig.

11. KAPITEL
Der Wettkampf

Der Donnerstagmorgen verlief wie der Mittwochnachmittag. Martin sagte siebenmal hintereinander seinen Wunsch auf, das Sams wurde zu Martin, ging mit Herrn Daumes Gruppe zum Skifahren und kam zum Essen wieder zurück. Auf die Frage, wie es denn beim Skifahren gewesen sei, antwortete Sams-Martin nur: »Du hast wieder mal gewonnen. Keiner von den Schülern hier ist so schnell wie Taschenbier. Und von den Schülerinnen auch keine.«
Beim Mittagessen nahm Martin jetzt schon ganz selbstverständlich am Tisch von Jens Uhlmann Platz. Man erwartete ihn da und rückte ihm bereits einen Stuhl zurecht, wenn er durch die Tür kam.
Den Nachmittag verbrachte er wieder einsam im Zimmer und las in seinem Skibuch. Als Sams-Martin zurückkehrte, hatte Martin sich immerhin schon bis zur Überschrift von Lektion acht durchgearbeitet: »Der Parallelschwung«.
Beim Abendessen sprachen alle über den bevorstehenden Wettkampf. Herr Daume ordnete an, dass ihm jede der beiden Klassen ihre Mannschaftsaufstellung auf einen Zettel schreiben solle. »Spätestens morgen nach dem Mittagessen will ich die Liste haben«, sagte er. »Morgen früh machen wir nur einen Durchgang. Jeder fährt einmal, dabei stoppen

wir die Zeiten. Danach müßt ihr euch dann entscheiden.«
Aus den Unterhaltungen der anderen hatte Martin herausgehört, wie der Wettkampf geplant war: Für jede Klasse würden jeweils vier Abfahrtsläufer starten, die Zeit vom Start bis zum Ziel wurde gestoppt, alle Zeiten einer Gruppe zusammengerechnet. Die Gruppe, bei der unter dem Strich dann die kürzeste Zeit herauskam, war die schnellste und hatte damit gesiegt.
An den Vortagen hätte man im Speisesaal gar nicht unterscheiden können, welche Schüler aus der 4a und welche aus der Parallelklasse waren. Man setzte sich an einen Tisch, wie es sich gerade ergab, egal, ob man aus der einen oder anderen Klasse war.
Jetzt hatten sich deutlich zwei Blöcke gebildet. In der einen Hälfte des Saals saß die gesamte 4a, in der anderen die 4b. Es wurden sogar schon Sprechchöre für den nächsten Tag geübt. Zum Beispiel: »Vier beee fällt in 'n Schnee, Vier beeee fällt in 'n Schnee!«
Worauf die Schüler der anderen Klasse dann zurückriefen: »Vier aaa schreit: ›Mamaaa, hilf mir, die Vier b ist da!‹«
Martin fühlte sich zunehmend unwohler bei der allgemeinen Wettkampfstimmung um ihn herum. Er hasste Wettkämpfe. Sie erinnerten ihn nur an seine vielen Niederlagen in der Schule.
Tina gehörte jetzt plötzlich zu seinen Gegnern, saß bei ihrer Klasse und sang fröhlich mit den anderen: »Vier aaa schreit: Mamaaa …«
»Ich geh jetzt. Ich muss endlich mal nach Hause telefonieren«, sagte Martin. »Gute Nacht.«
»Gute Nacht! Bis morgen früh!«, riefen die anderen an sei-

nem Tisch. Gleich darauf schrien sie wieder ihr »Vier beee fällt in 'n Schnee!«

Martin hattc schon einige Male bei seinen Eltern anrufen wollen, hatte es aber noch nicht geschafft. Die Schlange vor dem Münztelefon unten im Flur war ihm immer zu lang gewesen. Manche fanden nichts dabei, fünf Mark einzuwerfen und so lange zu sprechen, bis das ganze Geld verbraucht war, obwohl sie doch sahen, wie viele andere warteten.
Diesmal war er der Einzige, der telefonieren wollte. Seine Mutter meldete sich und fragte gleich, wie es ihm ginge.
»Nicht schlecht. Sogar gut. Ihr braucht euch keine Sorgen zu machen«, sagte Martin und erzählte ein bisschen, wie er bei Herrn Leitprecht den Hügel hinuntergefahren war, dass er sogar schon den Stemmbogen könne und dass das Essen ganz in Ordnung sei. Dann war das Geld zu Ende, er wünschte eine Gute Nacht, ließ seinen Vater grüßen und ging nach oben.
Noch in seinem Zimmer hörte er die Schlachtgesänge der zwei Klassen aus dem Speisesaal. Wie gut, dass er letztlich nichts damit zu tun hatte und das Sams alles für ihn regeln würde.

»Ich bin froh, wenn der Tag heute vorbei ist. Weil ich dann endlich wieder der einzige Martin sein kann und mich nicht mehr hier oben verstecken muss«, sagte er am nächsten Morgen zu Sams-Martin, nachdem er wie an den Vortagen siebenmal gewünscht hatte, dass das Sams wie Martin aussehen solle. »Es ist entsetzlich langweilig immer nur im Zimmer hocken zu müssen.«

»Das stimmt«, bestätigte Sams-Martin. »Entsetzlich langweilig.«
»Morgen ist ja Samstag. Da fahren wir wieder zurück«, sagte Martin. »Morgen Mittag nach dem Essen geht es los.«
»Ja, morgen geht es los, das Sams«, sagte Sams-Martin. »Aber doch nicht schon nach dem Mittagessen. Ich kann diesmal länger bleiben. Mindestens bis vierundzwanzig Uhr, wenn nicht sogar bis Mitternacht.«

»Wie kommst du auf so eine dumme Idee? Bis Mitternacht hier im Schullandheim?«
»Nicht hier, sondern überhaupt.«
»Das verstehe ich nicht.«
»Das verstehst du nicht? Merkwürdig. Dabei sagt die Samsregel sechs doch klar und deutlich:

Dass Samse immer samstags gehn,
kann selbst ein Taschenbier verstehn.«

»Kommt nicht in Frage! Du kannst nicht einfach gehn. Ich nehme dich nämlich mit zu uns. Wir können ein zweites Bett in mein Zimmer stellen, da ist genug Platz und dann...«

Sams-Martin unterbrach ihn. »Es geht nicht. Das ist immer so bei Samsen. Eigentlich müsste ich schon heute um Mitternacht weg sein. Aber weil ich nicht an einem Samstag zu dir gekommen bin, sondern erst am Montag, bleibe ich einfach ein bisschen länger.«

»Nein, nein. Wir finden schon irgendeine Lösung. Du gehst nicht einfach weg«, sagte Martin. »Du bleibst bei mir.«

»Ich gehe weder einfach weg noch zweifach, sondern auf der Stelle. Aber nur zum Skifahren«, sagte Sams-Martin und verließ das Zimmer. »Weil nämlich Jens Uhlmann schon zweimal nach mir gerufen hat.« Er guckte noch einmal durch die Tür. »Entschuldigung, ich wollte natürlich sagen: Nach *dir*!«

Gegen halb zwölf kam das Sams ins Zimmer zurück. Diesmal rannte es fast noch schneller als am Mittwochmorgen. Schwer atmend sagte es: »Gut, dass keiner aus dem Fenster geguckt und mich gesehn hat! Schon auf dem Rückweg hat meine Nase angefangen zu jucken. Bin ich vielleicht gerast! Der Wunsch hat gerade noch bis vor die Haustür gehalten. Du hättest öfter wünschen müssen, so wie gestern auch.«

»Ich habe so oft wie gestern gewünscht«, sagte Martin. »Siebenmal. Das müsste eigentlich dreieinhalb Stunden reichen. Es sind aber nicht mal zweieinhalb vergangen.«

»Sonderbar seltsam«, murmelte das Sams. »Unbegreiflich unerklärlich!« Es machte ein bedenkliches Gesicht.
»Es ist ja alles gut gegangen. Keiner hat dich gesehn. – Erzähl doch mal: Wie war's denn heute?«
»Heute hast du Jens Uhlmann gewinnen lassen und hast dich mit einem bescheidenen zweiten Platz zufrieden gegeben«, erzählte das Sams. »Du warst eine ganze Sekunde langsamer als er.«
Martin lachte. »Na, da wird Jens Uhlmann aber stolz sein.« Damit hatte er nicht Unrecht.
Beim Mittagessen war Jens Uhlmann noch besser gelaunt als am Vortag. Er legte Martin sogar den Arm um die Schultern, als er mit ihm sprach. »Wir müssen jetzt schnell unsere Mannschaft bestimmen«, sagte er. »Die aus der 4b haben ihre vier schon gewählt. Herr Daume will endlich wissen, wen unsere Klasse heute Nachmittag ins Rennen schickt.«
Martin nickte.
»Was meinst du? Wen nehmen wir noch dazu?«, fragte Jens. Mit »wir« meinte er offensichtlich sich und Martin Taschenbier.
»Schwer zu sagen«, antwortete Martin. »Was meint ihr?«
Mirko sagte: »Wir müssen ein Mädchen dabeihaben, das wäre sonst unfair.«
»Warum ein Mädchen?«, fragte Martin.
»Ist doch klar. Wenn die 4b die Holler reinnimmt, müssen wir auch ein Mädchen aus unserer Klasse nehmen«, sagte Matthias.
»Holler? Meinst du Tina Holler? Die fährt mit?« Martin war ganz aufgeregt. Die anderen am Tisch guckten ihn verblüfft an.

»Das weißt du doch. Hast du gerade eine Mattscheibe oder was?«, fragte Jens.
»Nein, ich hab da nur was verwechselt«, redete sich Martin heraus. »Welches Mädchen aus unserer Klasse käme denn in Frage?«
»Schwer zu sagen. Gestern ist Miriam zweimal die beste Zeit bei den Mädchen gefahren, heute Morgen Johanna. Ich schlage vor, wir nehmen Johanna«, sagte Jens. Das war zu erwarten gewesen. Alle in der Klasse wussten, dass Johanna die Freundin von Jens Uhlmann war. In der Schule schrieb er ihr immer Briefchen, die dann von hinten, wo Jens saß, unter der Bank heimlich weitergegeben werden mussten, bis sie vorne bei Johanna ankamen.
»Wenn du das Mädchen wählst, darf Martin den vierten bestimmen«, sagte Mirko.
Alle schauten Martin gespannt an.
»Ich wähle den Plattner«, sagte er. Wen hätte er auch anders nennen können. Er wusste ja nicht, wer sonst noch gute Zeiten gefahren war.
»Den Dicken? Ehrlich? Den können wir nicht vorzeigen, der macht unsere Klasse ja lächerlich«, sagte Jens Uhlmann.
»Bist du nicht der größte Feind vom Plattfuß?«, fragte Matthias. »Ihr habt euch vorgestern ganz schön verkloppt.«
»Ist doch egal. Hauptsache, die 4a gewinnt«, sagte Martin. »Der Plattfuß muss sich nur auf die Skier stellen, den zieht allein sein Gewicht schon ins Ziel.«
Mirko und Matthias lachten.
»Wenn du meinst«, sagte Jens.
Mirko rief zu einem der Tische hinüber: »He, Plattner, komm mal her!«

Leander Plattner kam betont langsam zum Tisch.
»Setz dich!«, sagte Mirko.
»Wieso? Was gibt's?«, fragte Leander und blieb stehen.
»Martin hat dich gerade vorgeschlagen«, sagte Jens.
»Wofür vorgeschlagen?«, fragte Leander misstrauisch.
»Für den Wettkampf nachher. Er hat dich in unsere Mannschaft gewählt. Machst du mit?«, fragte Matthias.
»Mich gewählt? Ehrlich?« Leander setzte sich. »Natürlich mach ich mit.« Er strahlte.
»Na gut, dann haben wir ja unsere vier jetzt auch zusammen«, sagte Jens und schrieb »Johanna Kuhnert, Jens Uhlmann, Martin Taschenbier« auf die Liste. Dann machte er eine Pause und fragte Plattfuß: »Wie heißt du eigentlich mit Vornamen?«
»Leander.«
»Leander? Ach ja! Hatte ich total vergessen«, murmelte Jens und schrieb »Leander Plattner« zu den anderen Namen. Dann gaben sie die Liste bei Herrn Daume ab und gingen

auf ihre Zimmer, um sich noch einmal zu konzentrieren und ein wenig auszuruhen.
Im Hinausgehen sagte Leander Plattner halblaut zu Martin: »War nett von dir, dass du mich gewählt hast. Ich werd mir auch alle Mühe geben. Wirst es sehn! Bis später!«

Der Wettkampf war für drei Uhr angesetzt.
Pünktlich vierzehn Uhr dreißig würden sich alle Schüler und Lehrer vor der Haustür treffen und zusammen losziehen.
Pünktlich vierzehn Uhr zwanzig wünschte Martin dem Sams viel Glück und Erfolg für den Wettkampf und sagte: »Ich wünsche, dass du wie Martin aussiehst.«
Aber nichts geschah.
Aufgeregt wiederholte Martin: »Ich wünsche, dass du wie ich aussiehst.«
Aber das Sams sah auch weiterhin wie ein Sams aus.
»Was ist denn? Warum klappt es denn nicht?«, fragte Martin erschrocken.
Das Sams zog den Reißverschluss seines Taucheranzugs auf und warf einen Blick auf seinen Bauch. »Ich habe es geahnt: Kein Punkt mehr da«, stellte es fest und zog den Reißverschluss wieder hoch.
»Kein Punkt? Was willst du damit sagen?«, rief Martin.
»Kein Punkt mehr da, kein Wunsch mehr frei. Du hast eben alle weggewünscht. Jetzt weiß ich auch, warum ich heute Mittag so schnell wieder zum Sams geworden bin: Du hast zwar siebenmal gewünscht, es gab aber nur noch vier oder fünf Wunschpunkte.«
Völlig verzweifelt setzte sich Martin aufs Bett. Die Tränen

schossen ihm in die Augen, er musste sich zusammenreißen, sonst hätte er gleich losgeheult.
»Was machen wir denn nur? Wer soll denn jetzt das Rennen fahren? Du kannst doch nicht als Sams im Taucheranzug runtergehn.«

»Das könnte ich schon«, sagte das Sams. »Aber Jens Uhlmann würde mich nicht in die Mannschaft lassen. Weil ich nämlich nicht in die Klasse 4a gehöre. Also musst du schon selbst gehn.«
»Ich? Bist du verrückt? Was für eine ausgefallene Idee!«
»Die andern aus deiner Klasse würden die Idee, dass ihr bester Skiläufer zu ihnen kommt, wahrscheinlich gar nicht so ganz arg sehr ausgefallen finden.«

»Die ahnen ja auch nicht, wie schlecht ich in Wirklichkeit fahre.«
»Was sollen wir denn machen?«
Aber weder das Sams noch Martin kamen dazu, lange über die Antwort nachzugrübeln, denn schon ertönte die Stimme von Jens Uhlmann aus dem Treppenhaus. »He, Martin! Martin Taschenbier! Was ist denn? Wir warten alle! Beeil dich gefälligst!«
»Ich wünsche, dass du …«, fing Martin an, merkte aber gleich, dass dies ja keinen Zweck mehr hatte, und sagte: »Ich bitte dich: Versteck dich schnell im Schrank.«
Das Sams kroch in den Schrank und zog die Tür von innen zu. Wenig später steckte Jens seinen Kopf durch die Zimmertür und sagte fassungslos: »Hier sitzt du und bist noch nicht mal richtig angezogen! Was ist denn? Es ist halb drei, wir wollen los!«
»Du, Jens, mir ist entsetzlich schlecht. Ganz übel. Ich glaube, ich hab Fieber«, sagte Martin kläglich.
»Quatsch keinen Unsinn! Du hast höchstens Lampenfieber.« Jens hielt Martin die Skischuhe hin. »Los, schlüpf rein!«
Als Martin die Schuhe endlich an den Füßen hatte, rief Jens: »Und jetzt kommst du mit! Aber im Spurt!« Dabei fasste er Martin beim Arm und zog ihn mit sich, aus dem Zimmer, zur Treppe hinunter und dann durch die Haustür nach draußen.
»Was ist denn los? Warum kommt ihr so spät?«, fragte Herr Daume.
»Ich war bei Martin. Ihm geht's nicht gut. Er sagt, ihm sei schlecht«, entschuldigte sich Jens.

Herr Daume schaute Martin an. »Hm, du siehst wirklich käsebleich aus«, sagte er. »Hast du was Besonderes gegessen?«
Martin schüttelte stumm den Kopf.
»Er war bei uns am Tisch. Er hat gegessen, was wir auch gegessen haben«, sagte Matthias.
»Ich schlage vor, dass du erst mal mit uns kommst«, sagte Herr Daume. »Vielleicht geht's dir ja in einer halben Stunde besser. Wenn nicht, muss ein anderer aus der 4a für dich fahren.«
»Kommt nicht in Frage! Er ist unser bester Mann!«, sagte Jens.
Alle aus der Klasse waren sich einig: »Martin muss fahren.«
Die Gruppe setzte sich in Bewegung.
Mirko sagte: »Gib mir deine Skier, ich trag sie dir!«
Alle versuchten ihn aufzumuntern: »Martin, das wird schon wieder!«, oder »Mir war nach dem Zahnarzt auch ziemlich übel und eine halbe Stunde später war's wieder vorbei.«
Manche sagten auch: »Mensch, Martin, reiß dich zusammen!«, oder »Du kannst die 4a doch nicht im Stich lassen, Martin!«
Als sie am höchsten Punkt der Rennstrecke ankamen und Martin den Hang hinunterblickte, wurde ihm richtig schwindelig. Er musste sich in den Schnee setzen, sonst wäre er umgekippt. Wenn ihn jetzt eine Fee für immer in einen Maulwurf verwandelt hätte – es wäre ihm egal gewesen. Dann hätte er sich schnell in die Tiefe gewühlt und wäre ein für allemal vom Erdboden verschwunden.
Zuerst wurde ausgelost, welche Klasse anfing. Die 4b zog die Eins, ihr erster Läufer würde also das Rennen beginnen.

Die 4b beriet sich kurz, dann war klar, dass kein Läufer, sondern eine Läuferin anfangen würde, Tina Holler.
Damit war für die 4a abgemacht, dass auch bei ihnen zuerst ein Mädchen fahren würde, Johanna Kuhnert.
Als zweiter Läufer der 4a wurde Leander Plattner eingeteilt, dann kam Jens Uhlmann. Martin Taschenbier sollte als Letzter starten.
Herr Daume ging mit allen Schülern nach unten zum Ziel. Nur die acht Auserwählten blieben oben stehen. Tina machte sich fertig für den Start.
Für einen Moment vergaß Martin seine Angst und schaute zu Tina. Sie sah nervös und angespannt aus, wie sie da

stand, an einer Haarsträhne kaute, nach unten starrte und auf das Signal von Herrn Daume wartete.
Der obere Teil des Hanges war noch nicht sehr steil. Da hatte jemand sechs Skistöcke senkrecht in den Schnee gesteckt und oben kleine Fähnchen angebunden. Warum, um Himmels willen, nahm denn keiner diese Stöcke weg! Sah Tina denn nicht, dass da einige gefährliche Hindernisse mitten in ihrem Weg standen?
Martin wollte schon Jens Uhlmann darauf aufmerksam machen, bemerkte aber zum Glück noch rechtzeitig, dass die Skispuren vom Vormittag offensichtlich im Bogen um diese Stöcke herumführten. Man musste also zwischen diesen Stäben hindurchfahren!
Unten beim Ziel schlug jetzt Herr Daume knallend zwei Skier aneinander. Das war das Startsignal, Tina fuhr los.
»Das erste Tor hat sie gut genommen«, sagte neben ihm Leander Plattner.
Aha, diese Stöcke nannte man also Tore. Wie beim Fußball. Tina nahm auch das zweite Tor, dann das dritte und letzte. Jetzt wurde der Hang sehr viel steiler. Sie ging in die Hocke, fuhr noch schneller und raste unten durchs Ziel.
Die Schüler und Schülerinnen der 4b klatschten und brachen in Jubelschreie aus.
Als Nächste startete Johanna. Sie fuhr ähnlich gut wie Tina und wurde unten mit Beifallsrufen aus der 4a empfangen.
Die sechs oben sahen, wie die beiden Mädchen nun zu Herrn Daume gingen und auf seine Stoppuhr schauten. Sie wollten offensichtlich wissen, welche Zeit sie gefahren waren. Herr Daume sagte etwas und Tina riss die Arme hoch und sprang jubelnd in die Höhe. Dann guckte sie hinauf zu

ihren drei Mannschaftskameraden und zeigte ihnen den nach oben gereckten Daumen. Das hieß: Die 4b hatte die bessere Zeit.
»Jetzt kommt's auf dich an, Leander«, sagte Jens Uhlmann. »Du musst unseren Rückstand wieder wettmachen.«
Zuerst fuhr aber Rudi Schopper von der 4b, kam auch glücklich ins Ziel und wurde bejubelt.
Dann startete Leander Plattner, fuhr recht flüssig durch die Tore und auf dem letzten Teil der Strecke sogar noch schneller als die drei vor ihm. Das sah man gleich, dazu brauchte man gar keine Stoppuhr. Auch er bekam den verdienten Beifall, löste seine Skier und rannte zu Herrn Daume, um die Gesamtzeit zu erfahren.
Kurz darauf standen Rudi Schopper und Leander unten neben dem Ziel, winkten zu den vieren hoch und riefen etwas. Man konnte es oben aber nicht verstehen.
Nun war der vorletzte Läufer der 4b schon an der Reihe. Alles ging so schnell, so schnell!
Kurze Zeit später machte sich Jens Uhlmann bereit. »Drück mir die Daumen!«, sagte er, guckte dabei zu Martin hinüber und erschrak. »Mensch, Martin, du bist ja wirklich krank!«, rief er. »Du bist ganz grün im Gesicht.«
In diesem Moment kam das Startsignal. Jens Uhlmann raste los.
Als er unten die gestoppte Zeit erfahren hatte, hüpfte nun er jubelnd in die Höhe, hob beide Arme und zeigte Martin zwei hochgereckte Daumen. Das bedeutete: Wir haben einen dicken Vorsprung, es kann gar nichts mehr schief gehen.
Wie durch einen Nebel sah Martin den letzten Läufer der 4b losfahren.

Jetzt stand er ganz alleine oben.
Panik überkam ihn. War es nicht Wahnsinn, diesen steilen Hang hinunterzufahren! Und wenn er jetzt einfach die Skier abschnallen, sich umdrehen, zum Haus zurückgehen und sich ins Bett legen würde?!
Da ertönte von unten das Startsignal.
Plötzlich war ihm alles egal. Mit dem Mut der Verzweiflung stieß er sich mit den Skistöcken ab und fuhr los.
Das erste Tor raste auf ihn zu – - – Martin streifte mit dem Ärmel einen der Stäbe – - – er wankte, fing sich aber wieder. – - – Da war schon das zweite Tor. – - – Ein Stab wurde zur Seite geschleudert. Ob das trotzdem galt? – - – Martin hatte keine Zeit darüber nachzudenken, denn schon kam das dritte Tor in wahnsinniger Geschwindigkeit näher. – - – Diesmal schaffte es Martin nicht, zwischen den zwei Stöcken durchzufahren, der rechte verhedderte sich zwischen seinen Beinen, wurde mitgeschleift. – - – Oh, da war schon der Steilhang! – - – Der Stock geriet unter den Ski – - – Martin spürte jäh, wie er das Gleichgewicht verlor – - – er taumelte – - – er stürzte!
Die Zuschauer schrien entsetzt auf: Martin überschlug sich zweimal, beide Skier wurden ihm von den Beinen gerissen und wirbelten durch die Luft, Martin schrie auch, überschlug sich noch einmal, rollte weiter und rutschte schließlich mit dem Kopf voran auf dem Rücken durchs Ziel, wo er liegen blieb.
Eine Sekunde standen alle starr vor Schreck, dann rannten sie los. Herr Daume und Tina waren zuerst bei ihm.
»Vorsicht!«, rief Herr Daume. »Vielleicht hat er einen Knochenbruch. Fasst ihn nicht an!«

Martin setzte sich auf und bewegte prüfend Hände und Arme. Es schien nichts gebrochen zu sein. Er versuchte aufzustehen.

»Nein, das darfst du nicht. Leg dich wieder hin! Du musst die stabile Seitenlage einnehmen«, sagte Herr Daume. Man sah ihm an, wie aufgeregt er war. »Ich bin aber auch ein Idiot, dass ich mich überreden ließ! Einen Kranken starten zu lassen! Ich hätte doch ahnen müssen, was dabei passiert.«

»Ich mag aber nicht die stabile Seitenlage einnehmen«, sagte Martin. »Das ist mir zu kalt, hier im Schnee zu liegen.« Er stützte sich auf die Hände, erhob sich vorsichtig und stand dann wieder auf den Beinen, wenn auch ein bisschen schwankend. Dafür bekam er mehr Beifall als alle Läufer vor ihm.
»Tut dir was weh?«, fragte Tina besorgt.
»Geht's wirklich?«, fragte Jens Uhlmann.
»Ist alles in Ordnung, Martin?«, fragte Leander Plattner.
Martin bewegte die Beine. »Hab Glück gehabt«, sagte er. »Kein Knochen gebrochen.« Er musste grinsen. Den Satz hätte auch das Sams sagen können. »Kein Knochen gebrochen, jedes Teil ist noch heil«, reimte er.
»Er macht schon wieder Witze!« Die anderen lachten.
Jens Uhlmann sagte zu Martin: »Mann, ich freu mich, dass du in Ordnung bist! Als du gestürzt bist, hab ich ehrlich gedacht: Jetzt hat er sich mindestens ein Bein gebrochen.«
»Das sah vielleicht gefährlich aus!«, sagte Leander Plattner.
Johanna sagte: »Dass unsere Gruppe jetzt verloren hat, ist mir egal. Hauptsache, dir ist nichts passiert.«
»Wer sagt denn, dass unsere Gruppe verloren hat?«, fragte Leander.
»Wieso? Warum nicht? Was meinst du damit?«, fragte Jens.
»Warte mal, wirst du gleich hören«, sagte Leander. Er ging zu Herrn Daume und fragte: »Herr Daume, wie war eigentlich die Zeit von Martin Taschenbier?«
»Die Zeit? Bist du verrückt? Ich werde doch nicht die Zeit von dem Jungen stoppen, wenn der sich fast das Genick bricht. Da habe ich an alles andere gedacht.«
»Aber Martin ist doch durchs Ziel gekommen, durchs Ziel

geschlittert, meine ich. Es gibt doch keine Regel, dass man mit allen Skiern an den Füßen ankommen muss, oder? Er hat die Ziellinie überquert. Auf dem Rücken.«
Herr Daume grinste. »Das ist dic seltsamste Regelauslegung, die ich bis jetzt gehört habe«, sagte er. »Aber es ist was dran. Ich habe tatsächlich vergessen die Zeit von Taschenbier zu stoppen. Deshalb entscheide ich hiermit, dass der Wettkampf unentschieden ausgegangen ist. Es gibt heute zwei Sieger: die 4a und die 4b.«
Damit waren alle zufrieden, auch die 4b. Denn Martins Gruppe hatte nach dem dritten Durchgang schon zwölf Sekunden Vorsprung gehabt. Und alle wussten: Wenn Martin Taschenbier nicht gestürzt und auch nur annähernd so schnell gefahren wäre wie in den vergangenen Tagen, hätte die 4a haushoch gewonnen.

Als Martin in sein Zimmer zurückkam, erwartete ihn das Sams mit besorgtem Gesichtsausdruck. »Wie war es? Ging's gut? Bist du gefahren? Wie ist es ausgegangen? Was war? Wo kommst du jetzt her?«
Martin lachte. Er sagte: »Wie, was, wo? Sind das nicht ein bisschen viel Fragen auf einmal?« Lässig setzte er hinzu: »Jedenfalls bin ich gefahren und wir haben gewonnen.«
»Gewonnen? Ihr? Mit *dir?*«
»Ja. – Allerdings hat die 4b auch gewonnen.«
»Auch gewonnen? Es kann doch nicht zwei Sieger geben!«
»Doch, kann es«, antwortete Martin und erzählte dem Sams, was sich ereignet hatte.
»Siehst du, ich hab es dir ja gleich gesagt: Du bist genauso mutig wie ich, du hast es nur nicht gewusst«, stellte das Sams

zufrieden fest, als Martin seine Geschichte beendet hatte. »Dein Papa Taschenbier soll sich ruhig ein Beispiel an dir nehmen. Der war zu meiner Zeit viel ängstlicher als du.«
»Zu deiner Zeit, wie das klingt!«
»Ich würde Papa Taschenbier ja gerne mal wieder sehen. Und Herrn Mon auch, ja, das würde ich. Schade, dass ich morgen schon weg muss.«
»Musst du wirklich weg?«, sagte Martin. »Kannst du nicht doch bleiben?«
»Jetzt schon gar nicht mehr, wo ich keine Punkte mehr habe. Sonst hättest du es ja noch wünschen können. – Aber es ist auch besser so. Du hast zu Hause deine Freunde ...«, das Sams grinste breit, »... und vielleicht sogar eine Freundin!«
»Da ist was dran«, gab Martin zu. »Ich werde sowieso weniger Zeit für Roland haben, weil ich mich jetzt vielleicht ab und zu mit Tina treffe oder so ... Und wenn du dann auch noch da wärst ...«
»Siehst du!«
»Aber wenn du mal zu Besuch kommen würdest, in den Ferien zum Beispiel, das wäre sehr, sehr, sehr schön!«
»Na, ich nehme doch an, dass du die einzigen unübertrefflichen Sams-Rückhol-Tropfen hier nicht aus Versehen stehen lässt. Samsregel sechsundvierzig: Lässt du sie aus Versehen stehen, verhindert das ein Wiedersehen.«
Martin antwortete nicht, er dachte nach. »Vielleicht gibt es doch eine Möglichkeit, wie du meinen Papa wieder sehen kannst«, sagte er. »Gleich morgen.«
»Morgen? Wie denn? Ohne Wunschpunkte?«
»Ich müsste dich nur in den Bus schmuggeln und mitneh-

men. Warte mal!« Er rannte zum Schrank und holte eine Jacke heraus. »Zieh die mal an!«
Das Sams schlüpfte in die Jacke.
Martin sagte: »Die hab ich hier noch nie angezogen, ich wollte mich nicht vor den andern blamieren. Sie hat früher Mama gehört, sie hat sie mir eingepackt, falls mal zwanzig Grad unter Null sind. Sie ist arktisgeprüft.«
»Deine Mama?«, fragte das Sams.
»Nein, die Jacke!«
Martin stülpte dem Sams die Kapuze über den Kopf und zog den Reißverschluss ganz hoch. Jetzt guckten nur noch die Augen heraus. »So ist es gut.« Martin war zufrieden. »So sieht man deine Rüsselnase nicht.«
»Was hast du gegen meine Nase?!«
»Nichts. Du musst nur noch meine Strickmütze aufsetzen, deine roten Haare gucken noch ein bisschen raus.«
»Du hast doch was gegen meine Nase!«
»Nein. Aber die andern dürfen sie nicht sehn. So könnte es gehn.«
»Was könnte wie gehn, wenn sie meine Nase nicht sehn?«
Martin erzählte, was er sich für einen Plan ausgedacht hatte. Morgen sollte das Sams die Jacke anziehen. Sie würden lange vor der Abfahrt in den Bus steigen. Der Busfahrer würde das Sams für einen Schüler halten und es durchlassen.
»Und was ist mit meinen Füßen?«, fragte das Sams. »Sollen die auch mit in den Bus?«
»Dumme Frage! Warum denn nicht?«
»Weil mich der Busfahrer so nicht reinlässt«, sagte das Sams.

»Meine Flossen haben Ecken
und sind so grün wie Gemüse.
Meine Flossen musst du verstecken.
Das sind keine richtigen Füße!«

»Hm.« Martin überlegte. »Dann wirst du dir eben aus den Kartonfüßen ein Paar Kartonschuhe basteln«, sagte er. »So genau wird der Fahrer schon nicht auf deine Füße gucken. Du gehst schnell nach hinten und setzt dich in die letzte Reihe. Der Bus war auf der Hinfahrt nicht ganz voll. Die letzten Reihen sind bestimmt wieder frei. Wenn Herr Daume später abzählt, ob alle Schüler da sind, gehst du hinter der Lehne in Deckung. Und falls dich doch einer aus meiner Klasse entdeckt, behauptest du einfach, du bist aus der Parallelklasse und hast deinen Bus verpasst. Verstehst du?«

»Klar versteh ich«, sagte das Sams. »Ich geh hinter der Decke in Lehnung und wenn mich einer aus der Klasse versteckt, behaupte ich einfach, ich habe meinen Pass verbust.«

»Mach jetzt keine dummen Witze! Ich muss dir noch erklären, wie's weitergeht: Wenn wir angekommen sind, rennst du aus der hinteren Bustür und steigst mit mir in unser Auto. Mama fährt uns nach Hause. Papa wird sich vielleicht wundern, wen wir da mitgebracht haben!«

»Das wäre wirklich wunderbar schön«, schwärmte das Sams. »Die Überraschung wäre aber mindestens vierzehnmal größer, wenn mich deine Mutter auch nicht sehen würde.«

»Das geht nicht, ich kann dich nicht in unser Auto schmuggeln, ohne dass Mama es merkt.«

»Dann geh ich eben zu Fuß in die Wilhelm-Reich-Straße«, sagte das Sams.

Martin lachte. »Dort hat Papa früher mal gewohnt, als Frau Mon noch Frau Rotkohl hieß.«
»Und wo wohnt ihr jetzt?«
»In der Amadeus-Hoffmann-Straße sieben, Erdgeschoss.«
»Kein Problem«, sagte das Sams. »Hoffmann-Straße Nummer sieben: Wird notiert und aufgeschrieben!« Es riss einfach eine Seite aus Martins Skibuch und schrieb die Adresse auf.
»Wenn du unser Haus gefunden hast, klopfst du an mein Fenster. Es ist das dritte neben der Haustür. Dann lass ich dich heimlich rein. Das gibt vielleicht eine Überraschung!«
»Schön! Schade, dass Herr Mon nicht dabei ist.«
Martin dachte noch einmal nach. Dann hatte er auch dieses Problem gelöst. »Ich werde gleich mal telefonieren. Mama soll Familie Mon einfach für morgen zu uns einladen. Sie kann ja sagen, es gibt eine Überraschung. Du wirst sehen: Tante Annemarie ist so neugierig, dass sie auf jeden Fall kommt. Mit Familie natürlich.«

12. KAPITEL
Die Rückkehr

Roland Steffenhagen hatte schon eine Viertelstunde inmitten der Eltern gestanden, die hier ihre Kinder abholen wollten, als der Bus endlich am Schillerplatz ankam.
»Rückkehr der Busse: 15 Uhr 45« hatte auf dem Merkzettel gestanden, den die Schülereltern am Montag vor der Abfahrt erhalten hatten. Nun war es bereits vier.
Roland konnte es kaum abwarten, bis der Bus endlich stillstand, die automatische Tür zischend aufsprang und die Kinder ausstiegen.
Er stellte sich neben die vordere Tür und hielt nach seinem Freund Ausschau. Wie er Martin kannte, würde der noch eine Weile sitzen bleiben, erst mal alle an sich vorbeilassen und dann als Letzter aussteigen.
Es war sicher nicht einfach für Martin gewesen, diese Woche allein im Schullandheim, ohne Freunde, den Angriffen von Plattfuß hilflos ausgesetzt. Bestimmt würde er sich ganz mies fühlen. Ein paar Tage würde es schon dauern, bis er den Kopf nicht mehr hängen ließ. Aber er würde ihn schon wieder zum Lachen bringen, das kriegte er schon hin. Er würde sich von Martins trüber Stimmung einfach nicht anstecken lassen und Witze machen wie immer.
Roland wurde jäh aus seinen Gedanken gerissen, denn je-

mand schlug ihm auf die Schulter und rief gleichzeitig: »Hallo, Roland!«
Roland fuhr herum. Hinter ihm stand Martin, lachte breit und sagte: »Toll, dass du hier bist!«
»Hallo, Martin. Wo kommst du denn so plötzlich her?«, fragte Roland.
»Na, aus dem Bus! Hast du gedacht, ich wäre zu Fuß gegangen?«
»Ich steh doch hier neben der Tür. Ich hab dich nicht herauskommen sehn«, sagte Roland.
»Ich bin hinten ausgestiegen, durch die zweite Tür.«
»Vorsicht!«, rief Roland. Das bezog sich aber nicht auf die zweite Tür, sondern auf Leander Plattner, der gerade aus dem vorderen Ausgang stieg. »Da kommt Plattfuß. Lass uns ein bisschen beiseite gehen. Ich bin jetzt eine Woche lang nicht an den Haaren gezogen, auf die Fersen getreten und in den Rücken geboxt worden, ich muss mich erst langsam wieder daran gewöhnen. Möglichst nicht vor Montag.«
Aber Leander Plattner kam direkt auf die beiden zu. Roland trat vorsichtshalber zwei Schritte zurück, Martin blieb lässig stehen. Plattfuß fragte: »Martin, soll ich dir deinen Koffer holen?«
»Hab nichts dagegen«, sagte Martin.
»Welcher ist es denn? Der schwarze?«
»Ich glaub, mir fallen die Ohren ab!«, murmelte Roland. »Ich muss mich verhört haben.«
Martin deutete auf das offene Kofferfach unten im Bus und sagte: »Nein, der braune da mit den silbernen Schnallen.«
Roland konnte es einfach nicht fassen. »Siehst du auch, was ich sehe?«, fragte er Martin. »Ich glaub, ich muss mir 'ne

neue Bildröhre einbauen lassen. Mein Bildschirm spinnt: Ich sehe einen Plattfuß, der Martin den schweren Koffer schleppt. Das kann einfach nicht wahr sein.«
Leander Plattner war mit dem Koffer inzwischen bei Martin angelangt, stellte ihn aufatmend vor Martin zu Boden und fragte: »Wo soll denn der Koffer hin? Wirst du nicht abgeholt?«
»Doch, doch. Meine Mutter wird gleich da sein«, sagte Martin. »Danke, Leander.«
»Nichts zu danken«, sagte Plattfuß. »Schönes Wochenende!« Dann ging er.
Roland guckte fassungslos hinter Leander Plattner her. »Was ist denn mit dem passiert?«, fragte er. »Der ist plötzlich so anders.«

»Mit dem? Du meinst wohl, was mit mir passiert ist!«, sagte Martin.
»Mit dir? Was denn?«, fragte Roland.
Martin kam nicht dazu zu antworten. Jens Uhlmann sprach ihn an: »Wirst du nicht abgeholt, Martin? Soll dich mein Vater im Auto mitnehmen?«
»Nein, nein. Meine Mutter weiß Bescheid, sie hat sich wohl ein bisschen verspätet.«
»Dann mach's gut. Bis Montag!«, sagte Jens und schlug Martin auf die Schulter.
»Wiedersehn, Jens.«
»Wiedersehn, Martin«, rief Jens zurück. Jetzt erst beachtete er Roland und hängte noch ein »Wiedersehn, Steffenhagen« an.
»Wiedersehn, Jens«, rief Roland ihm nach. Dann fragte er verblüfft: »Seit wann sagt Jens Uhlmann ›Martin‹ zu dir?«
Martin gab keine Antwort, denn der zweite Bus, in dem die Parallelklasse saß, war inzwischen eingetroffen und gerade begannen die Kinder auch dort auszusteigen.
»Komm mit. Ich muss mich noch von jemandem verabschieden«, sagte Martin und zog Roland mit zum anderen Bus. Roland schüttelte nur den Kopf. Er verstand gar nichts mehr.
Ein bisschen verlegen war Martin schon, als er jetzt auf Tina zutrat. Man sah es an seinem roten Kopf. Aber *er* war es, der sie ansprach. »Hallo, Tina. Wie war die Fahrt?«, fragte er.
»Langweilig. Kam mir länger vor als die Hinfahrt«, antwortete sie. Sie schaute sich um. »Ich sehe meinen Vater gar nicht«, sagte sie. »Der wollte mich doch abholen. Ach, da drüben ist er ja!«

Sie winkte, ein Mann im hellen Ledermantel winkte zurück und kam auf Tina, Martin und Roland zu.
»Dann auf Wiedersehn! Bis nächste Woche!«, sagte Martin schnell. Er hatte keine Lust, Tinas Vater vorgestellt zu werden. Deshalb nahm er Roland beim Arm und ging mit ihm zurück zum anderen Bus.
»Wiedersehn, Martin«, rief Tina ihm nach. »Und vergiss nicht, was wir ausgemacht haben.«
»Ausgemacht? Was hast du denn mit ihr ausgemacht? Seit wann redest du überhaupt mit ihr?«, fragte Roland, als sie außer Hörweite waren.
»Ach, wir haben nur verabredet, dass ich am Mittwoch mal vorbeikomme und mir ihren Hund angucke, weiter nichts«, sagte Martin.
»Ihren Hund, aha. Weiter nichts. Du besuchst nächste Woche ihren Hund, das ist also abgemacht. Besuchst du mich auch mal oder ist dein Terminkalender schon voll?« Roland Steffenhagen wusste nicht, ob er staunen oder sich ärgern sollte. Es war ja auch nicht einfach für ihn. Plötzlich stimmte nichts mehr von dem, was vorher gegolten hatte. Der schüchterne Martin sprach einfach Mädchen aus der Parallelklasse an, der ängstliche Martin verspürte plötzlich Lust einen bissigen Hund zu besuchen, und Plattfuß trug Martin den Koffer hinterher.
Martin spürte, was in Roland vorging, stupste ihn mit dem Ellenbogen in die Seite und sagte: »Jetzt fang doch nicht an griesgrämig zu grübeln. Natürlich komme ich nach der Schule mit zu dir wie immer. Du bist mein Freund und das bleibst du auch. – Du, ich muss dir unbedingt erzählen, was im Schullandheim passiert ist.«

»Da muss ja wirklich einiges gelaufen sein«, sagte Roland. »Du bist irgendwie verändert. Schon noch der Alte, aber gleichzeitig anders. Ein bisschen wie Duke Nukem, wenn er den Spezialhandschuh gekriegt hat und plötzlich alle Schalter anknipsen kann.«

»Findest du? Das hängt bestimmt damit zusammen ...«

Weiter kam Martin nicht, denn sein Vater tippte ihn von hinten auf die Schulter und sagte: »Hallo, Martin! Wie schön, dass du wieder da bist. Ich hab mich leider ein bisschen verspätet. Du wirst gleich sehen, warum. Hast du lange warten müssen? Ach, da ist ja auch dein Freund Roland. Dann hast du ja Gesellschaft gehabt. – Hallo, Roland!«

»Hallo, Papa!« Martin schüttelte seinem Vater die Hand. »*Du* holst mich ab? Ist Mama nicht dabei? Wer fährt denn? Nehmen wir ein Taxi?«

Roland antwortete: »Tag, Herr Taschenbier!« Und zu Martin sagte er: »Jetzt schaffst du's wohl nicht mehr, mir alles zu erzählen. Aber wir sehn uns ja übermorgen in der Klasse. Oder noch besser, du kommst nach der Schule mit zu mir, da können wir reden, ohne dass die andern zuhören. Abgemacht?«

»Abgemacht!« Martin nickte Roland zu. »Am Montag erzähl ich dir alles.«

»Ich hab ein neues Computerspiel«, rief Roland, als er schon auf der anderen Straßenseite war, und winkte noch mal. »Zwanzig Level! Du wirst staunen.«

Herr Taschenbier hatte inzwischen Martins Koffer genommen und war damit auf das Auto zugegangen. Martin schnappte sich noch schnell seine Tasche und lief ihm nach. Sie verstauten das Gepäck im Kofferraum. Martin fragte:

»Papa, hast du Onkel Anton und Tante Annemarie eingeladen, wie ich es mir gewünscht habe? Sind sie schon zu Hause? Wo ist überhaupt Mama? Wer soll uns denn fahren?«
»Also mal der Reihe nach«, sagte Herr Taschenbier. »Ja, die Mons sind da, sie hatten sowieso vor uns wieder mal zu besuchen. Sie sitzen zu Hause und warten auf die große Überraschung, die du uns angekündigt hast.«
»Helga auch?«, fragte Martin.
»Die ist natürlich dabei. Antons Papagei übrigens auch. Du weißt ja, Anton geht niemals weg, ohne wenigstens eines seiner Tiere mitzunehmen. – Warum Mama nicht gefahren ist, erzähle ich dir gleich. Das ist *meine* Überraschung. Steig ein!«
Er zwängte sich hinter das Lenkrad und steckte den Schlüssel in das Zündschloss! Martin setzte sich zögernd auf den Rücksitz.
Der Motor sprang an und heulte gleich schrecklich auf. Herr Taschenbier trat offensichtlich den Gashebel etwas zu weit nach unten.
»Aber Papa, du kannst doch nicht fahren. Du hast doch keinen Führerschein!«, rief Martin.
Herr Taschenbier nahm den Fuß vom Gaspedal, der Motor lief wieder normal. Er holte seine Brieftasche aus der Jacke, schlug sie auf und reichte sie Martin hinüber. »Und was ist das?«, fragte er dabei.
»Ein Führerschein? Ganz neu. Mit deinem Foto!«, sagte Martin. »Seit wann hast du denn einen Führerschein?«
»Seit vorgestern.« Man sah Herrn Taschenbier an, wie stolz er war. »Ich habe heimlich Fahrstunden genommen, nach Büroschluss, ohne euch etwas zu erzählen. Selbst

Mama hat nichts gemerkt. Was glaubst du, wie überrascht sie war, als ich ihr gesagt habe, dass ich jetzt los muss zur Fahrprüfung!«
»Was glaubst du, wie überrascht ich erst bin!«, sagte Martin. »Das hätte ich nie geglaubt, dass du den Führerschein schaffst.«
»Na hör mal, was hältst du denn von mir?«, fragte sein Vater. »Hast du gedacht, ich wäre zu dämlich dazu?«
»Zu dämlich bestimmt nicht. Aber vielleicht zu ängstlich.«
»Nun, man kann sich ja auch ändern. Meinst du nicht?«, fragte Herr Taschenbier.
»Doch, das meine ich auch«, sagte Martin überzeugt. »Dann fahr mal los!«
Der Rückweg kostete sie etwa viermal so viel Zeit, wie Mama auf dem Hinweg gebraucht hatte. Herr Taschenbier fuhr noch etwas unbeholfen und deshalb sehr vorsichtig. Besonders in den Kurven haperte es ein wenig. Mehr als einmal streiften sie bei engen Biegungen den Rand des Bordsteins.
Weil sie so lange brauchten, hatte Martin umso mehr Zeit seinem Vater von den Skiferien zu berichten. Erst erzählte er vom Wettkampf. Den Sturz verschwieg er, um seinen Vater nicht zu beunruhigen, der sollte sich aufs Fahren konzentrieren. Dann von Tina, von Frau Christlieb und Frau Felix, von Herrn Daume, von seiner Rauferei mit Plattfuß – nur vom Sams erzählte er kein Wort. Schließlich wollte er seine Überraschung nicht vorzeitig verraten.
Zu Hause saßen schon alle am gedeckten Kaffeetisch und warteten gespannt auf Martin.
Seine Mutter umarmte ihn zur Begrüßung und sagte: »Wie

schön, dass mein großer Sohn endlich wieder da ist.« Dann hielt sie ihn mit gestreckten Armen von sich, betrachtete ihn und stellte zufrieden fest: »Der Skiurlaub hat dir gut getan. Du siehst richtig erholt und gesund aus.«
Danach schüttelte Martin Onkel Anton, Tante Annemarie und zuletzt Helga die Hand und kraulte Herrn Kules, den Papagei, am Hals.
»Hast du uns nicht eine Überraschung versprochen? Ja, das hast du«, sagte Onkel Anton.
»Ist es etwas zu essen? Etwas Süßes?«, fragte Helga. Sie dachte dabei wahrscheinlich an Marzipanschweinchen.
»Nein, süß ist es ganz und gar nicht«, sagte Martin lachend.
»Habe ich es schon mal gegessen?«, fragte Helga weiter.
»Wer hat denn behauptet, dass man es essen kann?«, fragte Martin zurück.
»Wenn es nichts zu essen ist, will ich deine Überraschung gar nicht haben«, sagte Helga. »Dann spiel ich lieber mit dir Verstecken.«
»Ich muss mal ganz schnell in mein Zimmer!« Das Wort »Verstecken« hatte Martin an etwas erinnert, das er eigentlich gleich hätte tun sollen. Im Hinausgehen sagte er zu Helga: »Du wirst sowieso nicht besonders überrascht sein. Nur Papa, Mama, Onkel Anton und Tante Annemarie. Vielleicht sogar Herr Kules.«
»Wieso Herr Kules?«, fragte Tante Annemarie.
»Woher soll ich das wissen?«, antwortete Onkel Anton. »Macht der Junge es spannend? Ja, das tut er wirklich.«
In seinem Zimmer öffnete Martin sofort das Fenster. Das Sams stand darunter, guckte zu ihm hoch und fragte vorwurfsvoll: »Wie lange muss ich noch im Garten warten?

Jetzt steh ich schon seit zehn nach vier hier vor der Wohnung Taschenbier.«
»Komm rein!« Martin zog das Sams durchs Fenster und half ihm die Jacke auszuziehen. »Du bist eben zu Fuß gekommen. Ich bin mit dem Auto gefahren. Deswegen hat es ein bisschen länger gedauert.«

»Seit wann braucht ein Auto länger als ein Sams?«
Martin lachte. »Seit vorgestern. Seitdem hat nämlich mein Vater den Führerschein. *Er* ist gefahren.«
»Gefahren? Du meinst, er ist eine Gefahr. Eine gefährliche Gefahr für alles Fahrende«, rief das Sams. »Einmal bin ich schon mit ihm im Auto unterwegs gewesen. Und wo sind

wir damals hingefahren? Ins Wohnzimmer von einem gewissen Herrn Lürcher. Da haben wir dann das gefährliche Gefährt stehen lassen und sind nach Hause gerannt.«
»Davon hat er mir nie etwas erzählt«, sagte Martin.
»Von mir hat er dir ja auch nie was erzählt«, sagte das Sams. »Deswegen wird die Überraschung umso überraschender.«
»Richtig. Ich darf ja meine Überraschung nicht vergessen«, sagte Martin.
»Dürfen darfst du schon, aber du willst wahrscheinlich nicht«, verbesserte das Sams. »So, und jetzt wird gleich doppelt gegangen: Erst gehst du zu den andern und dann geht's los!«
Martin ging wieder ins Wohnzimmer. Alle schauten ihn gespannt an. Martin setzte sich wortlos in einen der Sessel.
»Du kommst mit leeren Händen? Ja, das tust du«, sagte Onkel Anton. »Ich dachte, du bringst deine Überraschung mit?«
»Die muss ich nicht bringen, die kommt gleich von alleine«, sagte Martin.
Martins Mutter sagte: »Da sind wir aber wirklich gespannt!«
Tante Annemarie seufzte. »Müssen wir noch lange warten? Ehrlich gesagt, geht mir dieses Theater hier ein wenig auf die Nerven. Martin sollte vielleicht lieber mit Helga Verstecken spielen, das Kind langweilt sich ja sonst.«
»Einen Augenblick!«, sagte Martin, ging zu seiner Tür, öffnete sie einen Spalt und rief: »Es kann losgehen!«
Aber das Sams kam nicht herausmarschiert, wie Martin sich das ausgedacht hatte. Aus dem Zimmer ertönte erst mal eine laute, durchdringende Stimme. Das Sams sang:

»Annemarie
fährt gern Ski,
fährt über Brücken,
fällt auf den Rücken,
fährt auf die Straße,
fällt auf die Nase,
fährt über Harsch,
fällt ...«

»Das ist der Gipfel! Sind wir hierher gekommen um uns das bieten zu lassen?«, schimpfte Tante Annemarie. »Wer singt so was? Wer ist denn da drüben? Soll das etwa die Überraschung sein?«
»Aber das ist doch ...«, fing Herr Taschenbier an und sprang von seinem Sessel auf.
»Kenne ich die Stimme? Ja, die kenne ich genau«, rief Onkel Anton.
Martins Mutter war ebenfalls aufgestanden und ging zögernd auf Martins Zimmer zu.

Die Stimme begann nun eine andere Melodie zu singen:

»Frau Rotkohl nennt sich jetzt Frau Mon,
spricht lauter als ein Mikrofon ...«

»Sams?«, rief Herr Taschenbier, rannte hin und riss die Tür auf.

»Das Sams!«, rief seine Frau fast gleichzeitig und rannte hinterher.

»Ist das zu fassen? Nein, ist es nicht!« Auch Herr Mon eilte zur Zimmertür, Helga kam neugierig hinter ihrem Vater her.

Selbst Herr Kules, der Papagei, flatterte kreischend aus seinem Käfig.

Nur Frau Mon, also Tante Annemarie, blieb beleidigt in ihrem Sessel sitzen.

Das Sams kam aus der Tür spaziert, machte einen Purzelbaum, ging auf den Händen durchs Wohnzimmer, ließ sich dann in den Sessel fallen, auf dem vorher Papa Taschenbier gesessen hatte, lachte übers ganze Samsgesicht und sagte:

»Ich freue mich, jetzt bin ich hier
bei der Familie Taschenbier.
Es freut mich auch, hier vier Uhr zehn
Herrn Mon und seine Frau zu sehn.«

Tante Annemarie schaute auf die Armbanduhr und verbesserte:
»Vier Uhr dreißig. Es ist bereits vier Uhr dreißig.«
»Vier Uhr dreißig? Ja, das weiß ich«, sagte das Sams. »Deswegen reimt es sich noch lange nicht.«
»Jetzt streitet euch doch nicht um die Uhrzeit! Das ist doch richtig unwichtig«, rief Herr Taschenbier. »Freuen wir uns lieber, dass uns das Sams nach so langer Zeit besucht.«
Er betrachtete es, lächelte und sagte kopfschüttelnd: »Du hast dich in diesen ganzen Jahren überhaupt nicht verändert.«
»Nein, das hat es nicht«, sagte Tante Annemarie spitz. »Es ist noch genauso unverschämt wie damals, als es mich immer ›Frau Rosenkohl‹ genannt hat, das freche Balg.«
»Jetzt lass doch mal diese ur-uralten Geschichten«, sagte Herr Taschenbier. »Das Sams soll lieber erzählen, wo es herkommt und wie es herkommt und wie es kommt, dass Martin das Sams kennt!«
»Das ist dann eine ur-urneue Geschichte«, sagte das Sams. »Und die kann Martin sogar besser erzählen.«
»Wir können sie zusammen erzählen«, schlug Martin vor. »Sams, du erzählst, was passiert ist, als du der Martin warst...«
»Der Martin?«, fragte Frau Taschenbier überrascht. »Das will ich hören.«
»... und du erzählst, was *du* gemacht hast und wie meine

Gruppe, ich wollte sagen: wie deine Gruppe trotzdem Sieger geworden ist«, vollendete das Sams Martins Satz.
Bevor sie anfingen, zog das Sams schnell Martins Kopf zu sich und flüsterte ihm ins Ohr: »Könntest du mir vorher vielleicht eine winzig kleine Kleinigkeit zu essen besorgen? Ich kriege beim Erzählen immer einen höllischen, hundemäßigen Heißhunger.«
Martins Mutter musste scharfe Ohren haben, denn sie hatte das Flüstern des Sams verstanden. »Du lieber Himmel!«, rief sie. »Vor lauter Freude und Aufregung hab ich ganz vergessen, dass ich zu Martins Begrüßung eine Torte gekauft habe.«
»Marzipantorte?«, fragte Helga hoffnungsvoll.
»Nein. Sahnetorte.«
»Mit Schokostreuseln?«, fragte das Sams.
»Mit Schoko*guss*«, sagte Martins Mutter. »Bruno, geh doch mal bitte in die Küche und hol sie herein!«
Herr Taschenbier brachte die Torte und nun wurde erst mal ausgiebig gegessen und Kaffee und Kakao getrunken.
Danach erzählten Martin und das Sams abwechselnd die ganze Geschichte, immer wieder unterbrochen von erstaunten Ausrufen und vom heftigen Lachen der Zuhörer.
Als sie fertig waren, schlug die Uhr gerade elf.
»Schon elf? Höchste Zeit, dass wir alle ins Bett gehen«, rief Martins Mutter. »Helga fällt vor Müdigkeit schon fast aus dem Sessel. Annemarie, Anton, ihr übernachtet doch bei uns, ja?«
Die Mons hatten nichts dagegen, sagten »Gute Nacht« und zogen sich ins Gästezimmer zurück.
Herr Taschenbier wuchtete eine große Matratze aus einem

Wandschrank, schleifte sie in Martins Zimmer und legte sie dort auf den Boden, für das Sams. Seine Frau holte ein Laken und ein Federbett und legte es auf die Matratze. Dann wünschten beide beiden eine gute Nacht, warteten, bis Martin und das Sams in ihren Betten lagen, löschten das Licht und gingen leise aus dem Zimmer.
Eine kleine Weile unterhielten sich Martin und das Sams noch halblaut im Dunkeln.
Martin sagte: »Weißt du, Sams: In dieser Woche ist mehr passiert als sonst in einem ganzen Jahr. Alles ist anders geworden.«
»Nicht alles ist anders geworden«, antwortete das Sams drüben aus seinem Matratzenbett. »*Du* bist anders geworden. Du hast angefangen dich zu verändern. Das ist das ganze Geheimnis.«
»Wahrscheinlich hast du Recht«, sagte Martin. Er gähnte.
Eine Weile war es ganz still. Dann fragte Martin: »Könntest du noch einmal das Lied singen, das du im Schullandheim gedichtet hast?«
»Welches? Ich habe mindestens ein Dutzend gedichtet, wenn nicht sogar zwölf«, antwortete das Sams.
»Das mit dem Ändern!«
»Ach das. Ja, das ist eines meiner besten und bestimmt nicht das schlechteste«, sagte das Sams und begann lauthals zu singen: »Andre können dich nicht ändern ...«
»Pssst! Leise«, unterbrach Martin. »Du weckst ja das ganze Haus auf.«
»Leise? Meinetwegen. Das Haus darf weiterpennen«, sagte das Sams ziemlich laut, begann aber gleich darauf das Lied leise, fast flüsternd zu singen:

»Andre können dich nicht ändern,
ändern musst du dich allein.
Und so wird aus einem Igel
ab und zu ein Stachelschwein.«

»Stachelschwein? Im Schullandheim hat sich das Lied aber ganz anders angehört«, sagte Martin.

»Ja, stimmt. Da war es lauter«, gab das Sams zu.

»Lauter, wenn nicht sogar weniger leise«, sagte Martin lachend.

»Äußerst gut beobachtet«, lobte das Sams. Es gähnte.

Martin gähnte auch, sagte: »Gute Nacht, Sams«, und drehte sich auf die Seite.

»Gute Nacht, Martin«, kam es aus dem Dunkel.

Das war das Letzte, was er vom Sams hörte. Gleich darauf schlief Martin nämlich schon tief und träumte von Tina, von einem Schneemann, der wie Leander Plattner aussah, und von gefleckten Hunden, die auf Skiern einen gefährlich steilen Abhang hinunterrasten.

Als Martin am nächsten Morgen aufwachte, war das Sams verschwunden.

M.T.